Ergänzende Beilage zu Heft
Religionspädagogische Praxis
Nr. 3, Jahrgang 2001

GOTTES LIEBE SPÜREN LASSEN

Legenden vom Hl. Nikolaus

RPA-Verlag

Einschub nach Seite 3 (Heft RPP 3/2001)

Text: Wilhelm Willms
Melodie: Klaus Gräske

2. Groß ist die Not, Mensch ohne Brot.
Brot uns doch back, Hartes uns knack.
|: Du bist uns nah, Bischof von Myra. :|

3. Heiliger Mann, steck uns doch an.
Goldapfel Glück bring uns zurück.
|: Du bist uns nah, Bischof von Myra. :|

DIE HEILUNG DER GELÄHMTEN HAND

ZUM NACHDENKEN

Da ist ein Mensch, der nicht mehr handlungsfähig ist, gelähmt ist seine Hand, starr und steif, ein Mensch mit körperlichem Leid, meist auf andere angewiesen. Was hat den Menschen in diese Situation gebracht? War es ein Fehler in den Genen, war er von Geburt an behindert? War es ein Unfall in seiner Entwicklung? Oder waren es die Verhärtungen, die Starrheit und Sturheit seiner Umwelt? War er immer von andern bevormundet und konnte sich selbst nicht entfalten? In seiner Ausweglosigkeit wendet er sich an einen Menschen, auf den allein er noch seine Hoffnung setzt. Er überlegt nicht lange: Jetzt oder nie! Da ist einer, der sich rühren lässt vom Leid anderen. Er packt zu und verändert. Er greift das Not-wendige an. Da sind keine leeren Worte. Nähe entsteht und wächst. Im Augen-blick kommt Heilung, es geht Heil aus, das keiner **machen** kann. Es kommt her von einer Quelle der Kraft, die wir Gott nennen. Der lahme Mensch, die gelähmte Hand kommt in Bewegung. Sie rührt sich, öffnet sich, zeigt in eine Richtung. Auf-atmen ist, Auf-leben, eine neue Blickrichtung, ein neuer Weg – ein Aus-weg.

GESTALTUNG

Material: Tücher für Häuser, helles Tuch für Kirche, Kerze, Teelichter, dürrer Ast, grünender oder blühender Ast, Fellchen, Feder oder Stückchen Samt.

Wir versammeln uns im Kreis.

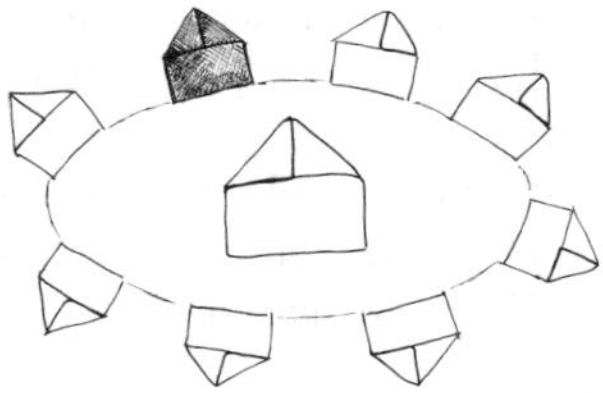

Entsprechend der Rahmengestaltung bauen wir Häuser, Stadt und Kirche. Die Erzieherin legt ein graues oder schwarzes Tuch als Haus an ihren Platz. Sie fragt die Kinder, was in diesem Haus passiert sein könnte.

FEST-HALTEN

Die Erzieherin sagt:
Wir können selbst spüren, was in diesem Haus passiert ist. Sie leitet die Kinder an, mit den Händen eine Faust zu machen. Sie bittet die Kinder, ganz fest zu drücken und den Druck zu halten.

Sie führt weiter:

Spüre einmal ohne etwas zu sagen:
Wie ist das in deiner Hand?
Wie wirkt sich das auf deinen Arm aus,
auf die Schultern, den Nacken, die Unterkiefer,
auf deine Atmung,… deinen ganzen Körper?

Was denkst du, was fühlst du, wenn du so hart bist?
Was wünscht du dir?
Wann ist das am Tag, in deinem Leben so: ganz hart?

LOS-LASSEN

Die Erzieherin bittet, langsam die Faust zu lösen. Sie sagt:

Löse deine geballte Faust ganz langsam.
Was spürst du in der Hand, in den Fingern?
Wie wirkt sich das Loslassen auf deine Arme,
die Schultern, den Nacken, die Unterkiefer…
auf deinen Körper aus?
Was passiert mit deiner Atmung?
Was denkst du und fühlst du,
wenn du gelöst bist?
Was wünscht du dir jetzt?
„Ich bin gelöst", wann ist das am Tag oder in deinem Leben so?

Die Erzieherin hört genau auf das, was die Kinder äußern, und beobachtet sie genau, ohne zu werten.

Sie fasst zusammen:

Es gibt Menschen, die halten ganz fest, zu fest.
Es gibt auch Menschen, die können gar nichts halten,
die lassen alles zu früh los, lassen alles fallen.
In diesem Haus wohnt ein Mensch, der diese
Dinge in seinem Leben erfahren hat.
Noch etwas hat dieser Mensch erfahren.

SICH RÜHREN LASSEN – BE-RÜHRT WERDEN – BE-RÜHREN EMPFANGEN – GEBEN – MIT-TEILEN

Die Erzieherin bittet ein Kind, die Augen zu schließen. So lange das Kind etwas spürt, soll es die Augen geschlossen halten. Die Erzieherin berührt das Kind an der Hand mit einem Fellchen, einer Feder, etwas Samt… Wenn das Kind nichts mehr spürt, darf es seine Augen wieder öffnen. Es wird gebeten, was es gespürt hat mit seiner Hand weiterzugeben an den Nachbarn.

Die Erzieherin:
Das kann ich mit meinen Händen tun.
Mit meinen Händen kann ich vieles tun.
Zeig es!

Ein Kind spielt, die anderen raten.

Die Erzieherin:
Auch solche Dinge hat das Menschenkind in unserem Haus erlebt.
Und auch so etwas:

ANSCHAUUNG: TROCKENER AST

Sie legt in das dunkle Haus einen dürren, vertrockneten Ast. Wir schauen ihn an und lassen uns von ihm anschauen. Ein Kind darf ihn mit seinen Händen und geschlossenen Augen befühlen. Die anderen schauen still zu. Das Kind ruft ein anderes, das ebenso befühlen darf.

Wir zeigen mit Armen und Händen, was mir an diesem Ast auffällt.

Erzieherin:
Wenn der Ast in unserer menschlichen Sprache reden könnte, was würde er sagen?
(Ich bin hart, dürr, trocken, leblos, starr, steif...)

Die Kinder können zu ihren Aussagen mit Holzstäben begleiten.
Was möchte ich zu dem Ast sagen, was ihn fragen?

Auch diese Aussagen können die Kinder mit einem Triangel begleiten.
Wer nichts mit Worten sagen kann, sagt etwas mit Musik.

ANSCHAUUNG: GRÜNENDER AST

Ein grüner oder blühender Ast in einer Vase wird zu dem dürren gestellt.

- Anschauen – sich anschauen lassen
- Mit geschlossenen Augen befühlen
- Mit Händen und Armen zeigen
- Ihn sprechen lassen
- Ihm etwas sagen

Den trockenen und den grünen Ast miteinander reden lassen.

Erzieherin:

Manchmal ist es in unserem Leben so: Da ist vieles dürr und vertrocknet, starr und stur und steif. Wir wünschen uns, dass es wieder zu leben beginnt wie nach einem langen, harten Winter, wenn der Frühling kommt, wenn alles aufbricht und sich das Leben ganz neu bewegt. So ist es in der Geschichte, die ich euch erzählen möchte.

ERZÄHLUNG

In unserem Haus lebt eine alte Frau. Sie kann vieles selbst nicht tun, denn ihre rechte Hand ist starr und steif, dürr und trocken, sie ist gelähmt. Viele Jahre ist sie nun auf andere angewiesen. Früher – ja, da konnte sie noch vieles selbst tun. Sie konnte...

Die Kinder sollen benennen, was die Frau alles tun konnte und wollte.

Als sie älter wurde, ging ihr alles nicht mehr so von der Hand. Sie traute sich immer weniger. Sie konnte nichts mehr halten, be-halten, er-halten, auf-halten, zu-halten. Ihre Hand gab ihr keinen Halt mehr. Sie ließ alles fallen. Auch ihr Mut sank. Sie konnte nicht mehr und manchmal wollte sie auch nicht mehr. Sie verzog sich immer mehr in ihr Haus und war traurig. Ein paar Leute halfen ihr einkaufen, aber eigentlich war sie allein. Sie hatte wenig Freunde. Sie wünschte sich einen, der sie bei der Hand nehmen und aufrichten würde. Denn sie ging immer gebückter. Ihre Sorgen drückten sie nieder. Bald würde sie ganz zu Grunde gehen.

Einmal ging sie so am Ufer des Meeres spazieren und schaute auf die Wellen des Meeres. Wie die sich bewegen, dachte sie. Da ging Nikolaus mit seinem Vater am Ufer entlang spazieren. Die alte Frau erkannte ihn gleich. Sie hatte viele Gutes von Nikolaus gehört. Vielleicht kann er mich heilen, dachte sie. Sie fragte gar nicht lange; sie dachte nicht nach. Sie lief einfach auf Nikolaus zu, viel auf die Knie, nahm mit der Linken den rechten Arm, den sie nicht bewegen konnte und hielt ihn hoch, Nikolaus entgegen.

Nikolaus war in seinem Herzen gerührt. Wie kann ich der armen Frau nur helfen, dachte er. Aber auch er überlegte nicht lange. Er rührte die Frau an, dass sie gerührt war, nahm ihre rechte Hand und half der Frau wieder auf die Beine. Da spürte sie ein Kribbeln in Armen und Beinen, Leben kam in ihr müdes Herz, sie atmete auf, lebte auf und spürte, dass sie ihre Hand wieder bewegen konnte. Nun konnte sie wieder ganz selbst tun, was sie wollte. Und das erste, was sie tat, war, die Hände zu falten und Nikolaus und Gott danke zu sagen, dass sie wieder gesund war. Dann öffnete sie die Hände und lud die Menschen zum Singen und Feiern ein, sie buk Lebkuchen und kochte Punsch und gab mit ihrer Rechten, so recht von Herzen, dass alle froh wurden. Sie starb von allen bewundert und geliebt. Der Hl. Nikolaus betete an ihrem Grab:

Brennende Kerze, der dürre und der grünende Ast werden in der Mitte zum Gotteshaus getragen und hineingestellt.

Gebet:

Du, Gott des Lebens! Du willst, dass Menschen sich gut behandeln, dass sie gut mit sich selbst, mit den andern, mit Tieren und Blumen, mit der ganzen Welt umgehen. Lass uns von dieser Frau lernen, dass es ein Geschenk ist, die Kraft der Hände zu spüren, dass wir sie aber nicht nur zur Faust ballen, dass wir sie öffnen, das Leben zu empfangen und weiterzuschenken, dann wird es hell und warm und lebendig in uns und um uns auf der Erde. Amen.

Teelichter werden angezündet und in die Häuser verteilt. Der Nikolaus schenkt Lebkuchen. Kinderpunsch wird eingeschenkt. Es wird gegessen, gesungen und getanzt.

Einschub nach Seite 64 (Heft RPP 3/2001)

Verwendete Literatur:

Bremske, Helmut:	Ikonen, Nördlingen 1999
Imbach, Josef.	Der Heiligen Schein, Würzburg 1999
Imhof, Paul:	Nikolaus, Augsburg 1997
Jooß, Erich:	Nikolaus, Freiburg 1989
Mezger, Werner:	Sankt Nikolaus, Ostfildern, 1993
Nouwen, Henri:	Bilder göttlichen Lebens, Freiburg 1987
Quadflieg, Josef:	Nikolaus von Myra, Düsseldorf 1994
Rahner, Karl:	Warum und wie können wir die Heiligen verehren? Zürich 1996
Randak, Oskar:	Lebensbilder, Augsburg 1985
	Therapeutisch-orientierte Rel. Päd., Düsseldorf 1985
	Grundriß psychodiagnostischer Möglichkeiten, Ausb. 1986
RPP-Hefte:	1980/4, 1987/2, 1991/3, 1992/3/4, 1995/4, 1996/3/4, 1998/4, 2000/4
Slavisches Institut:	Nikolauslegenden, München 1964

RPA-Verlag

religionspädagogische Arbeitshilfen GmbH

Gaußstraße 8, D-84030 Landshut

Tel. (08 71) 732 37 · Telefax (08 71) 739 96

E-mail: RPAVerlag@web.de

INHALTSVERZEICHNIS

VORÜBERLEGUNGEN

„Du warst der Nikolaus“ haben die Kinder im Kindergarten gesagt, als ich sie ohne Bischofsgewand besuchte. „Ich bin der Nikolaus“, habe ich spontan geantwortet, denn meine Eltern haben mich auf diesen Namen taufen lassen. Was denken sich Eltern, wenn sie ihren Kindern einen Namen geben? Heute sucht man Namen oft wegen ihres Wohlklangs heraus oder man sucht Vorbilder aus Politik, Kunst und Medien. So war es auch bei den Heiligen: Sie waren zunächst Vorbilder auf dem Weg zu Gott. Wir wollen in diesem Heft dem Heiligen Nikolaus als Vorbild folgen.
Im ersten Teil fragen wir nach der Bedeutung von Vorbildern für unsere Zeit und für die Erziehung von Kindern und Jugendlichen.
Ein zweiter Teil soll unsere Überlegungen zum Religiösen hin erweitern. Die Heiligen, verbunden mit Jesus Christus, bringen uns die Liebe Gottes ganz konkret in Raum und Zeit. Nur, so glauben wir, sonnen sie sich nicht egoistisch in himmlischem Glanz. In der Liebe bleiben sie uns über den Tod hinaus weiter verbunden. Wir bleiben ihnen verbunden und ehren sie als Beschützer, als Namenspatrone. Auch den Heiligen Nikolaus verehrte man vom 4. bis zum 17. Jh. in besonderer Art. Es gab aber auch Vermischungen mit nichtchristlichem Brauchtum, Auswüchse bis hin zum Klamauk. Was sollte uns heute in dieser Zeit wichtig sein? Wir lassen den Heiligen und sein Bild selbst zu uns sprechen.
Der Heilige Nikolaus brachte ganz konkret die Liebe Gottes zu den Menschen seiner Zeit. Was kann uns das heute bedeuten? Der dritte Teil unseres Heftes beschäftigt sich mit der Deutung und Feier von sechs Nikolauslegenden. Wir beginnen mit einer Anschauung, die uns sagen will, dass Nikolaus Licht in das Dunkel vieler Menschenschicksale brachte. Er stellte sich nicht selbst ins Rampenlicht, sondern brachte das Licht dessen, der größer ist als die Stars und Sternchen der Menschen: das Licht der Liebe Gottes. Es folgt eine Rahmenerzählung und -gestaltung, mit der wir jede Nikolausgeschichte beginnen können. Dann wenden wir uns der Deutung und Gestaltung von sechs Legenden des Heiligen Nikolaus zu. Möge uns vielleicht jedes Jahr eine andere ansprechen. In sechs Tagen schuf Gott die Welt. Natürlich ist Gottes Zeitrechnung nicht die unsere und freilich wirkt er vorzüglich in den Naturgesetzen dieser Erde. Aber er war kreativ. Möge uns die Kreativität der Liebe Gottes helfen, selbst schöpferisch das Wirken des Heiligen Nikolaus zu begreifen.
Zu allen Legenden finden sie ein Bild in der Bildmappe. Es enthält auf der Rückseite die Kurzfassung der Legende, Gedanken zum Nachdenken für Kinder und Jugendliche, einen Gebetsvorschlag und für die Gestaltung von Gottesdiensten Evangelien, zu denen uns die jeweilige Legende führt. Jede Legende wird durch ein Lied vertieft, das ebenfalls der Bildmappe beiliegt. Die Lieder sollen kleine und große Kinder sowie jung gebliebene Erwach-

sene ansprechen. Eine Hilfe, die Bilder der Mappe zu betrachten, geben die beiliegenden Impulse. Ich wünsche diesem Heft und dieser Mappe, dass sie ihnen die reichen Erfahrungen, die ich in 30 Jahren als Nikolaus in Kindergärten und Schulen machen durfte, liebevoll weitergeben. Die Weitergabe beschränkt sich nur auf Deutung und Feier der Geschichten und gibt keine Anleitung zur Bearbeitung im Sinne der therapeutisch-orientierten Religionspädagogik wie ich sie in Heft 1993/4 beschrieben habe. Wir alle hoffen, dass sie mit diesem Heft viel Freude erfahren.

Danken möchte ich Burgi und Franz Mitterreiter für die tätige Hilfe. Mein Dank gilt Sr. Esther Kaufmann und Pater Meinulf Blechschmidt, die mich seit vielen Jahren wohlwollend begleiten. Mein Dank gilt Franz Kett, der mir mit Geduld und Zuspruch immer weitergeholfen hat und der ganzen Redaktion. Mein Dank gilt Oskar Randak, von dem ich Entscheidendes in Menschlichkeit und therapeutischer Aus- und Weiterbildung erfahren habe. Mein Dank gilt allen Erzieherinnen, Lehrerkollegen und allen Kindern und Jugendlichen, die mir die Notwendigkeit der ständigen Auseinandersetzung aufgezeigt haben. Und jetzt: „Lasst uns froh und munter sein und uns recht von Herzen freun!"

Euer Klaus Gräske

VORBILDER SIND AUCH HEUTE NOT-WENDIG

Viele Menschen wenden sich heute von Glaube und Kirche immer mehr ab. Sie suchen ihr Heil oft in Konsum, Macht, Geld oder auch in esoterischen Angeboten. Auf der anderen Seite sehnen sich viele Menschen heute nach Vertrauen, Nähe, Geborgenheit, echter Liebe und tiefem Lebenssinn und zeigen dabei großes religiöses Interesse. So gibt es in der Geschichte immer wieder Anziehung und Ablehnung des Religiösen. Immer wieder schauen und hören die Menschen bei ihrer Suche auf andere, die ihnen helfen oder sie führen können auf ihrem Weg. Menschen brauchen zum Lernen Lehrer, Meister, Führer, die Erfahrung, Wissen und Weisheit haben und in aktuellen Lebensfragen weiterhelfen zu eigenständigen Entscheidungen auf dem Lebensweg. Dabei sind Werte von Nöten. Viele Werte gehen heute verloren, und die Angst vor Wertlosigkeit wird groß. Sind da nicht immer mehr Menschen gefragt, die wirkliche Orientierung geben können? Wir brauchen heute echte Vorbilder, die uns helfen, sich neu auf Werte zu besinnen, die lebens-not-wendend sind, die uns helfen, aus verfahrenen Situationen umzukehren, manchmal aus Bequemlichkeiten herauszukommen und zu neuen Ufern aufzubrechen.

Die Reiselust ist heute sehr groß. Aber: Wollen wir auch wirklich kennenlernen, wonach wir uns aufmachen? Lassen wir uns von dem Neuen nicht nur an der Oberfläche ein wenig kratzen? Ziehen wir Konsequenzen und gehen neue Wege, wenn wir von einer Reise zurück in den Alltag kommen? Leben wir lieber in den alten sicheren Mauern oder suchen wir das Lebendige und in allem den Lebendigen von dem alle Schöpfung kommt und zu dem sie geht?

Wo Menschen sich tief berühren lassen, Konsequenzen für ihr Leben zu ziehen und aus ihrem Glauben heraus alternative Lebenswege und -stile suchen, da werden sie von Zeitgenossen oft lächerlich gemacht, manchmal verfolgt oder gar vernichtet.

Vorbilder in Gesellschaft, Politik und Kirche sind rar geworden. In der pluralistischen Gesellschaft ist vieles gleich gültig und es wird somit vielen alles gleichgültig. Hilflos sehen wir die steigende Gewalt, den Rechtsradikalismus, Cliquen- und Bandenbildung, zunehmenden Drogenkonsum und steigende Selbstmordrate schon bei Kindern und Jugendlichen, verheerende Seuchen, Krisen körperlicher, seelischer und geistiger Art.

Haben wir es vernachlässigt, geistig – geistlich zu führen? Pädagogik hätte dies zur Aufgabe: Pais agogein (gr.) heißt: ein Kind führen. Aus Angst, Stolz und der Erfahrung, ver-führt zu werden, stellte sich die 68er-Generation gegen alle Autorität und besonders gegen autoritäres Gehabe. Wer aber immer nur selbst seine eigenen Wege gehen will und nie auf andere und durch alles hindurch auf **den** anderen horcht, der isoliert sich, verliert letztlich das Ver-trauen und ist in Gefahr, im Meer des Alltags zu versinken. Manche suchen Orien-

tierung in der Wissenschaft, die manchmal nur Wissen anhäuft, das durch die Fülle von undurchschaubaren Theorien nur noch unwissender macht, geschweige denn weise.
Dabei wissen wir, dass Menschenkinder nur von anderen Menschen lernen, zu denen sie eine Beziehung aufbauen können. Wenn Wissenschaft uns in Beziehung setzte zu uns selbst und zu anderen, also zu Menschen, Tieren, Blumen, Wind und Wasser, Erde und Feuer, zur ganzen Schöpfung und ihrem Schöpfer und Erhalter, dann könnte sie eine echte Hilfe zum Leben sein. Wo Beziehung gestiftet wird zur Urquelle allen Lebens, zu Gott, da wird dem Menschen Hoffnung eröffnet in aller Hoffnungslosigkeit, da geht ein Licht auf, wo Dunkel ist, da wächst Zukunft aus aller Ausweglosigkeit, Liebe in Lieblosigkeit und Vertrauen, wo Misstrauen herrscht. Christlicher Glaube ist Beziehungsgeschehen von einem Ich zum Du. Wir glauben an einen Gott, der sich uns zuwendet und dem wir uns zuwenden dürfen, wo und wie immer wir sind. Wir können uns vor ihn stellen mit unseren guten Seiten und unseren Fehlern, dürfen alle Sorgen und Probleme zu ihm bringen, ihm klagen, ihn sogar an-klagen, ohne Angst haben zu müssen vor Ablehnung und Strafe, mit seinem Zuspruch: “Fürchte dich nicht! Ich habe dich erlöst. Ich habe dich bei deinem Namen gerufen. Mein bist du!“ (Sir 43, 1) In allen Säumnissen und Sonderlichkeiten des Lebens will er uns menschlich nahe sein. Mensch geworden sagt er immer wieder neu durch Menschen zu uns: Lernet von mir!

DIE BEDEUTUNG DER VORBILDER IN DER ERZIEHUNG

Wie geschieht menschlich dieses Lernen? Als Kind waren unsere ersten Vorbilder unsere Eltern oder andere nahe Bezugspersonen. Kinder identifizieren sich mit den Bezugspersonen. Sie lernen nicht so sehr durch das, was Eltern sagen, sondern durch das, was die Um-welt ihnen vor-lebt. Das Verhalten der Bezugspersonen verinnerlichen die Kinder und machen es sich zu eigen. Dieses verinnerlichte Verhalten projezieren sie dann als eigenes Regelverhalten. Eltern und Erzieher sind also gerade in der Suche nach Werten unverzichtbar. Keinen Menschen darf man auf dieser Suche alleine lassen. Wir müssen Kindern, Jugendlichen und auch Erwachsenen die Möglichkeiten geben, dass sie sich mit Vor-bildern identifizieren.
In der Auseinandersetzung mit Werten braucht jeder Mensch seine eigene Zeit. Wichtig ist auch die Art und Weise der Auseinandersetzung: Zu große Strenge löst beim Menschen Widerstand aus. Je weiter ein Wert von der aktuellen Wirklichkeit eines Menschen entfernt ist, desto mehr Zeit braucht jemand, diesem Wert nahe zu kommen und ihn in sein Leben zu übernehmen.
Immer aber braucht es dabei Personen, die Werte vorleben. Über die Identifikation verinnerlichen Menschen dieses Verhalten. Auf dem Weg zur Reifung müssen sie dann zu eigen-wertigem Verhalten kommen. In der Zeit des Erwachsen-werdens, der Ablösung von Eltern und Bezugspersonen gilt es nicht, alte Werte nur abzulegen. Wenn Ablösung gelingen soll, ist die Frage

wichtig: Wo haben meine Eltern, Erzieher, Lehrer… recht gehabt? Was will ich beibehalten und eigenständig leben und was beiseite legen und neu versuchen?
So baut Erziehung immer auf Erfahrung und Reflexion auf! Wir dürfen dabei Kinder, Jugendliche und Erwachsene nicht über-, aber auch nicht unterfordern. Wir müssen auf grund-legende Erfahrungen achten, die unverzichtbar sind für eine gesunde Entwicklung. Wir müssen auch entwicklungsgemäß auf intellektuelle Fähigkeiten achten.
Um Werte zu vermitteln braucht es also Vorbilder. Diese kann man aber auf keinen Fall kopieren. Wir müssen uns mit ihnen auseinander-setzen. Bloßes Nachahmen schafft Über-Ich-Ängste und/oder Gewissenskonflikte. Gern wird diesen Konflikten durch zwanghaftes Nachmachen der Art und Weise verehrter Menschen ausgewichen. Dann kommt es oft zu keinen eigenständigen Entscheidungen der Person mehr. So trägt man auch nie für etwas Schuld und kann auch nicht zur Verantwortung gezogen werden. Vorbilder werden idealisiert. Man setzt sich dann mit dem Ideal auseinander und entzieht sich den Bezügen zur Realität.
Vor-bilder stehen vor uns. Sie verhelfen uns zu Werten und Zielen. Damit ist ein Vor-bild aber nicht göttlich, absolut. Auch ein neurotischer Mensch kann trotzdem in wichtigen Lebensbereichen uns Entscheidendes zeigen. Andererseits brauchen wir nicht um des Vorbildes Willen unsere Identität aufzugeben. Wir müssen uns eben mit Vorbildern auseinander-setzen:
- Was ist wert-voll am Verhalten eines Vorbildes?
- Was ist an diesem Verhalten relativ gut oder schlecht, weil es uns in Raum und Zeit gegeben ist?
- Wo müssen wir kritisch sein?
- Was können und wollen wir in unser Leben hineinnehmen, und wie wollen wir es eigenwertig gestalten?

DER HEILIGE ALS VOR-BILD

Heil! Uns mit diesem Wort auseinander zu setzen, fällt wohl gerade Deutschen sehr schwer. Wieviel Un-heil wurde mit diesem Wort angerichtet als das Volk das Heil von einem zweifelhaften Menschen erwartete. Heil und Heilung kann letztlich nur von dem kommen, den Gläubige als die Quelle allen Heils bezeichnen. Selbst Freud sagte, dass Menschen letztlich nur Wunden versorgen können, heilen würde ein anderer.
Heil, Heilung, Heiligung hängen eng miteinander zusammen. Wo Menschen den Weg zu dieser Quelle in einem Prozess suchen, da geschieht Fort-schritt. Wo Menschen dabei die Einzigartigkeit Gottes erfahren, da wollen sie ihre Erfahrung ausdrücken im Lob oder durch besondere Zeichen. Menschen erfahren eine enge Verbindung und Verbundenheit mit dem Urgrund des Lebens, stoßen gleichsam zum Grundwasser der Quelle. Daraus geht eine große Ehrfurcht und der Drang zu Lob und Dank hervor.

Der sich am deutlichsten mit diesem Urgrund verbunden fühlte, war Jesus, dessen Name besagt: Gott hilft! Seine Beziehung zum Grund des Lebens war die von Vater, Mutter und Kind: Kind Gottes. ER wird für uns Menschen zum Ur-bild aller Heiligkeit. Menschenfreundlich bringt er uns die Heiligkeit Gottes nahe in Wort und Tat. Er nimmt das Dasein jedes Menschen bedingungslos an, egal, wie gut oder böse, gesund oder krank, jung oder alt, klein oder groß, schön oder hässlich er ist: Jeder ist menschlich von Gott angenommen! Für jeden soll ganz menschlich, körperlich, seelisch, geistig-geistlich, wo und wie es ihm möglich ist, Gottes Liebe spürbar werden.
So ruft er uns in seine Nachfolge. Das heißt, dass wir Jesu Vor-bild annehmen und in unsere Situation für uns selbst, die Menschen in unserer nahen Umgebung, für die ganze Gesellschaft, auch politisch, bis hinein in alle globalen Verhältnisse in Wirtschaft und Politik in realistischer Einschätzung für das Heute zu übertragen suchen. Der Beginn dieser Nachfolge ist immer ein deutliches Hören-Lernen auf das, was das Leben hier und jetzt letztlich von einem will. Dieses Horchen muss Folgen haben: Ich höre auf dich. Du hörst auf mich. Wir hören aufeinander. Wir ge-hören zusammen.
Am Anfang ist das Horchen auf das Wort. Dem Wort folgt wieder ein Wort, eine Ant-wort. Die Haltung von Christen gegenüber sich selbst, der Beziehung zu anderen, gegenüber der ganzen Schöpfung sollte folglich geprägt sein von Ver-ant-wortung. Durch solches Denken und Handeln bereiten wir dem Reichtum der Liebe Gottes, Gottes Reich, den Weg. Das fordert von uns nicht nur ein spontanes Aufflammen von irgendwelchen Aktionen, einen ziellosen Aktionismus, sondern realitätsbezogene Beständigkeit, sich um Gottes Willen in konkreten Situationen zu mühen. Unser Zeugnis sollte Vor-bild für unsere Mitmenschen sein, unser Denken und Handeln ein Zeichen für die Heiligkeit Gottes: **„Du allein** bist der Heilige, …**Du allein** der Höchste …“ (Liturgie)
Leider finden wir dies nicht immer und überall, auch – und manchmal gerade da nicht, wo Nach-folge gelebt werden sollte – in der Kirche. In ihr wären wir alle zur Nach-folge gerufen. Oft aber wird gerade dort der Blick für das Heil und die Heiligkeit Gottes verstellt. Dies wird wohl jeder einmal vor dem Lebendigen zu verantworten haben. Manchmal aber in der Geschichte, da funkeln, wie an einem dunklen Nachthimmel, leuchtende Zeichen auf, Menschen, die eine so glühende Verehrung des Lebendigen vorleben, dass wir nur von ihrem Bei-spiel ergriffen mit-spielen können, ein Spiel hinein in unsere Zeit.
Wir dürfen auch Heilige nicht kopieren. Wir dürfen ihnen nicht sklavisch folgen ohne um die Be-deutung ihres Lebens für uns zu fragen:

> Wo helfen sie uns in ihrem Denken und Tun, Realität zu sehen, zu gestalten, mit Schwierigkeiten und Ängsten umzugehen?
>
> Wo helfen sie uns durch ihr heilig-mäßiges Leben hin zu Jesus und zeigen uns seine Bedeutung für uns, dass er zum Christus, zum Retter auch für uns wird?

Wo helfen sie uns zu einer hilf-reichen Ein-bildung, durch lebendige innere Bilder Prozesse der Persönlichkeitsbildung in Gang zu setzen, die zur von Gott gewünschten Eigenständigkeit führen, zu einem: „Ich habe dich bei deinem Namen gerufen!"?

Wo helfen sie uns zu einer Gemeinschaft von verschiedenartigen Menschen, die einander als Ich und Du gelten lassen und zum Heil verhelfen an Körper, Seele und Geist, zur Gemeinde der Heiligen?

GEGLÜCKTE HEILIGENVEREHRUNG

Nach einer Untersuchung von Oskar Randak an gesunden Menschen, die Heilige als Vorbilder zur Nachfolge Jesu Christi auf der Grundlage kirchlicher Zugehörigkeit annehmen können, werden in der Heiligenverehrung folgende positive Wirkungen erfahren. Ich möchte diese aufzählen ohne sie näher zu kommentieren, da dies den Rahmen dieses Heftes sprengen würde. Ich möchte aber trotzdem einen Einblick in die not-wendigen und vielfältigen Auswirkungen einer geglückten Heiligenverehrung bei gesunden Menschen geben:

„Sie finden eine positive Einstellung zu Mitmenschen und pflegen dabei sachlichen Umgang wie auch Emotionalität.

Sie fördern die Fähigkeit, lustvolle Befriedigung zu reflektieren.

Sie entwickeln die Fähigkeit, zu empfangen und sich angenommen zu fühlen.

Sie erweitern die Fähigkeit, Gott zu erspüren, vor allem im Erleben sinnvoller Reifungsprozesse.

Sie kommen zu selbständiger Weltbewältigung bei der Stellungnahme zur körperlichen Geschlechtsrolle.

Sie überdenken und hinterfragen die bisherige Einstellung zu Gott.

Sie vertiefen die bisherige Gewissensentwicklung durch eine persönliche Stellungnahme zu Religion und Moral."

In einer zweiten Untersuchung werden die positiven Wirkungen einer gelungenen Heiligenverehrung fortgeführt:

„Mut zum Versuch wird gefördert, Realitätsdenken und emotional-affektives Erleben gestärkt, Gefühlshygiene betrieben, Erlebnisfähigkeit der Liebe Gottes und die Freude am Guten geweckt, fruchtbare Spannung von Individualität und Kirchengemeinschaft aufgebaut."

In einer dritten Untersuchung treten weitere positive Wirkungen zu Tage:

„Eigene Ich-Ansprüche erweitern –

Verantwortung für die praktischen Auswirkung des Handelns zeigen –

Aus der Geschichte den eigenen Platz suchen –

Zugang zur erlösenden Kraft des Gebetes –

Nie endende persönliche Weiterbildung –

Verantwortung für Kirche und Gesellschaft –

Pflege bewusster religiöser Haltung über die Gegenwart hinaus –

Erleben der eigenen Unzulänglichkeit –

Mut zu Alternativen –“

und ein Viertes:

„Fähigkeit, sich zu Gruppen zugehörig zu fühlen –

Förderung von reizstarken, klaren Umweltbedingungen für religiöse Gemeinschaftsbegegnungen.“

Sind diese positiven Auswirkungen nicht ein großer Anreiz, sich für Heilige als Vorbilder und eine gelingende Heiligenverehrung in der christlichen Erziehung heute einzusetzen?

Natürlich gibt es in der Vergangenheit und auch heute eine gestörte Heiligenverehrung. Die Probleme liegen nach O. Randak besonders

„in einem Man-Moral-Denken: Das tut man nicht...

in der Ablehnung individueller Verschiedenheit und

in fehlenden kirchlichen Gemeinschaftserlebnissen“.

Wollen wir bei solchen Problemen die Heiligenverehrung erschließen, so müssen wir fördern,

„dass Menschen die Man-Moral ablegen können und
zu mehr Flexibilität im moralischen Vorstellungsvermögen kommen,
dass Menschen die individuelle Verschiedenheit anerkennen
bei einem realistischen Gefühl der eigenen Person gegenüber,
vor allem in der Auseinandersetzung mit Leistungsforderungen
und bei kirchlichen Gemeinschaftserlebnissen, wobei eine
sichtbare Beziehung zwischen verschiedenen Gemeinschaften
und Kirche ermöglicht werden muss.“ (O. Randak: Lebensbilder, 1985)

ANREGUNGEN ZU EINER GELINGENDEN HEILIGENVEREHRUNG AM BEI-SPIEL DES HL. NIKOLAUS

ANNÄHERUNG

Wie komme ich nun mit einem Menschen, noch dazu mit einem heiligen, in Kontakt?
Sicher braucht es dabei Takt-gefühl. Takt ist etwas Verhaltenes, im Rahmen Liegendes, nicht wie der Rhythmus, der mehr frei schwingend ist. Wenn ich mit Takt-gefühl auf andere zugehe, bin ich nicht selbst bestimmend. Da muss ich oft viel und lange schauen, erst so von Weitem, vielleicht aus dem Augenwinkel. Ich nähere mich langsam mit einer Haltung der Ehr-furcht und des Respekts. Re-spicere heißt zurückblicken, umsichtig sein. Respectus bedeutet Umsicht üben, nicht nur äußerlich kurz mal eben einen Blick werfen, sondern tiefer blicken, eben schauen wie Goethe es meint: Zum Sehen geboren, zum Schauen bestellt... Ich muss den anderen beobachten – Ob-acht geben. Ich sollte wahr-nehmen, wo und wann der Andere mich anschaut. Manchmal schwingen Menschen dann gemeinsam ein in den Takt, kommen so zusammen, haben Con-takt. So nähern sich Menschen langsam mit ihrer Geschichte einer dem andern an. Da wächst etwas zwischen ihnen, sie haben Inter-esse. Manchmal kann man es nicht erklären. Man ist sich sym-pathisch, man kann sich und den andern leiden. Menschen fragen dann oft: Willst du mit mir gehen? Und sie gehen ein Stück des Weges mit-ein-ander und lernen sich kennen. Sie unternehmen etwas, trauen einander immer mehr, vertrauen einer dem andern, reden mit-ein-ander, erzählen dem andern von ihrem Leben und lernen sich selbst und den andern verstehen, lernen, zueinander zu stehen, füreinander einzustehen und kommen irgendwann zu den entscheidenden Fragen: Was verbindet uns? Was trennt uns? Wo ergänzen wir einander?
Sollte all das beim Kennenlernen eines heiligen Menschen anders sein? Es stimmt: Meist ist der Heilige schon gestorben. Aber lernt man nicht auch manchmal einen schon verstorbenen Verwandten nur vom Hören-Sagen kennen? Dann braucht es einen anderen, der glaubhaft bezeugt, was jener Mensch gedacht und getan hat. Man horcht auf, der andere interessiert einen, man fragt nach, stellt sich vor... Es läuft Ähnliches ab wie vorher beschrieben.
Auch beim Hl. Nikolaus könnte es so sein. Haben wir unsere feste Meinung über ihn und sein Fest oder ist er uns gar egal? Haben wir Interesse, ihn näher kennenzulernen? Wollen wir etwas mit ihm unternehmen, ein Stück Weges mit ihm gehen, ihn verstehen und schätzen lernen, d.h. sein Leben als einen Schatz begreifen, der uns zu einem noch kostbareren Schatz führt, zur menschgewordenen Liebe Gottes? Ist dieses Leben ein Schatz aus der

Geschichte auch für die Menschen der heutigen Zeit und für kommende Generationen? Ich lade sie ein, mit mir ein wenig diesen Fragen nachzugehen.

DER HEILIGE NIKOLAUS IN VERGANGENEN TAGEN

Manchmal fasst man das Leben eines Mensches kurz in Daten: Wann wurde er geboren, wann starb er, was war dazwischen? Das fällt bei Nikolaus schwer. Man weiß, dass es im 4./5. Jh. wohl einen sozial engagierten und verehrten Bischof Nikolaus in Myra, im kleinasiatischen Lykien, der heutigen Türkei, gegeben haben muss. Man weiß aber auch, dass es etwa zur gleichen Zeit einen gleichnamigen Abt in Sion gab, der Bischof von Pinora war und auch 564 in Lykien starb. Schon im 6. Jh. erzählte man vom Einen und vom Andern in ähnlicher Weise. Langsam verschmolzen die beiden historischen Personen für die Erzähler zu einer Gestalt. Und weil jeder jeden anders sieht und einen am Andern Verschiedenes begeistert, wird der Figur des Hl. Nikolaus Vielfältiges, im wahrsten Sinne des Wortes, zu-geschrieben. Was man hier erzählt, soll Menschen ehrlich aufbauen. Er, der Heilige selbst, will sie gleichsam er-bauen. So schreibt man Erbauliches, das man den Menschen empfiehlt zu lesen, weil es ihnen die Angst nehmen will, sie mutiger machen kann, liebevoller, leidenschaftlicher und leidensfähiger, freudiger und hoffnungsvoller: Legenden! das, was man unbedingt lesen soll. Wo die Legenden erzählt werden, da feiert man den Heiligen: Kulte entstehen im Osten wie im Westen. Nikolaus wird zu einem Bindeglied zwischen Ost und West, der Ost- und Westkirche, dem Orient und dem Okzident. Es gibt von ihm keine Biographie. Die biographischen Daten sind zu wenig gesichert. Müssen wir da nicht aufgeben und sagen: Das ist ja doch alles erstunken und erlogen! Nein! Denn auch die Legenden und Kulte haben ihre geschichtlichen Grundlagen und sicherlich eine tiefe, für unser Leben be-deut-same Wahrheit, die wir auch heute erfassen und für unsere Zeit lebendig werden lassen müssen. Sicher hat sich in der Geschichte auch viel Unerklärliches und mancher Klamauk entfaltet, den es zu klären und manchmal auch zu verwerfen gilt.

Es gibt zwar keine Biographie aber eine sogenannte Hagiografie, eine Heiligenbeschreibung. Das Leben des Bischofs von Myra wird in der „Vita per Michaelem“ beschrieben. Sie ist wahrscheinlich in Konstantinopel zwischen 750 und 850 n. Chr. entstanden. Dieses Schriftstück war die Vorlage für eine jüngere Darstellung, der Schrift des „Methodius ad Theodorum“ etwa im 9. Jh.. Lange vor diesen beiden gab es aber schon die Lebensbeschreibung des Abtes Nikolaus von Sion, des Bischofs von Pinora. Von ihm waren schon viele Begebenheiten berichtet, von Nikolaus von Myra dagegen kannte man als älteste Geschichte nur die Rettung der drei Feldherrn. Etwa 400 Jahre später waren beide Personen miteinander zu einer Gestalt verschmolzen. Nikolaus wurde zunächst in der Ostkirche hoch verehrt.

Bald aber tritt die Nikolaus-Gestalt den Weg in die Westkirche an. In der ersten Hälfte des 9. Jhs. findet man ihn bereits in einem Codex auf der Insel

Reichenau. Zur gleichen Zeit schreibt der spätere Erzbischof von Mainz, Hrabanus Maurus, ein Martyrologium, in dem die Feldherrngeschichte des Bischof Nikolaus von Myra auftaucht. 880 taucht in Neapel die „Vita St. Nicloai episcopi" von Joh. Diaconus auf. Im 12. Jh. finden wir Nikolaus bereits durch Robert Wace im anglonormannischen Bereich. Im 13. Jh. schreibt der genueser Erzbischof Jacobus de Voragine seine berühmte „Legenda aurea". Diese Legendensammlung wird besonders durch den Buchdruck ab dem letzten Drittel des 15. Jhs. verbreitet. Die Geschichte des Hl. Nikolaus steht hier an vorderster Stelle.
Zu diesen Legenden erzählt man an verschiedenen Orten Europas eigene Nikolausgeschichten, so in Frankreich, besonders in Lothringen. Überall entwickelt sich auch zu den Geschichten in verschiedenster Art und Weise die Feier, der Kult des Geschehens. Überall verehrt man Nikolaus. Sein Name besagt schon: Nikä = gr. der Sieg und laos = gr. das Volk – also der Volkssieger oder besser, der mit dem Volk siegt und als Christ wohl mit dem Volk Gottes. So begeistert Nikolaus die Menschen in Ost und West mit den Wundertaten und führt sie zu einem liebenden christlichen Gott.
Man dankt es ihm: Bald findet man Kirchen dem Heiligen zu Ehren. Er wird in Fresken und Statuen dargestellt wie z. B. in Süditaltien und Rom. Apulien, Kalabrien und die Inseln Sizilien, Sardinien, Korsika werden zu einem wichtigen Kultzentrum. Nikolaus zieht gleichsam nördlich der Alpen weiter. Ab dem 10./11. Jh. baut man ihm dort überall Kirchen, Kapellen und Klöster. Man holt die Gebeine des Bischofs von Myra nach Bari in Süditalien. Die Bareser sind ein Seefahrer- und Handelsvolk und erheben den Heiligen zu ihrem Patron. Um das Patronat streiten sich auch die Venezianer als Hafenstadt. Für die Westkirche werden die Gebeine so wichtig, weil man an die Auferstehung des Fleisches glaubt. Steht doch in der Bibel von der Auferstehung: „Ich werde wieder mit meiner Haut umgeben, und in meinem Fleisch werde ich Gott schauen" (Hiob 19, 26). So glaubt man, mit dem Besitz der Gebeine des Nikolaus den Heiligen mit seiner ganzen Segens- und Wunderkraft bei sich zu haben.
In der Ostkirche wird die Anwesenheit des Heiligen mehr durch die Anschauung des Bildes, der Ikone des Heiligen, gefeiert: Im Bild ist der Heilige ganz konkret für den Gläubigen da. Der Gläubige hat An-teil am Ur-bild des Heiligen. Ost und West möchte den Heiligen bei sich haben. 1222 erhebt das Konzil von Oxford das Fest des Nikolaus zu einem Fest erster Klasse. 1931 zählt der Forscher Karl Meisen 2500 Kultstätten des Heiligen. Bis 1500 gibt es etwa 4000 bis 5000 Kirchen an Küsten, Hafenstädten, Flüssen und Seen. Nikolaus wurde verehrt als Patron der „Säuglinge und Kleinkinder, von Gebärenden, Liebenden, Heiratswilligen, Gefangenen und Dieben, von einzelnen Personen und bürgerlichen Vereinen, von religiös-caritativen Gruppen, Zünften, Gilden, Bruderschaften, von Schülern und Studierenden, Kaufleuten, Getreidehändlern, Pfandleihern, Anwälten und Juristen, Apothekern und Spezereiverkäufern, Salbenkrämern, Tuchscherern, Schneidern, Färbern,

Drechslern, Stuhlflechtern, Küfnern, Fuhrleuten, Kohleträgern, Kalkbrennern, Salzsiedern, Dreschern, Metzgern, Gefängniswärtern und vielen anderen mehr“ (Werner Metzger, St. Nikolaus). Nikolaus wird Patron ganzer Städte wie z.B von Amsterdam und später von New York. Immer mehr Kinder tragen seinen Namen. Im 13. Jh. stand der Name bei den Taufnamen an 4. Stelle, in Rottweil Mitte des 15. Jhs. an 2. Stelle gleich nach dem Namen „Hans“. Joh. Balbus von Genua hatte im 13. Jh. empfohlen, Bilder zu malen von der Geburt Jesu und den Heiligen, damit die Bilder aus katechetischen Gründen „Empfindungen der Frömmigkeit“ hervorrufen. Viele Leute konnten damals nicht lesen oder schreiben. Man wollte das Heilige sinnlich wahrnehmen, konkret berühren und sich von ihm rühren lassen. Unzählige Bilder und Statuen entstehen von Nikolaus.

Man besingt ihn in Hymnen. Man spielt seine Geschichten. Im 12. Jh. schon ist das „Ludus super ionia Sancti Nicolai“, das Spiel um den Hl. Nikolaus, bekannt. Eines der ersten schreibt Hilarius. In späterer Zeit tritt allerdings gerade im Spiel ein Verweltlichungsprozess ein. Im 17. Jh. lässt die Verehrung des Heiligen Nikolaus nach. Es kommt eine andere Zeit und mit ihr andere Probleme, wie der 30jährige Krieg, andere Heilige wie Ignatius von Loyola, die mehr faszinieren. Die Aufklärung stellt Vieles in Frage. Auch in der Kirche ist Vieles im Wandel. Am 14. Feb. 1969, bei einer Neuordnung des Heiligenkalenders in Rom, werden St. Nikolaus, Christophorus, Barbara u.a. als allgemein gebotene Gedenktage in der Kirche abgeschafft. Man befürchtet zuviel Unchristliches in der Verehrung der Heiligen und möchte die Betonung – was wohl richtig ist – mehr auf Jesus Christus und seine Verehrung lenken und vorgehen gegen die Vermischung von Kult und Brauch, von Religiösem und Profanem, von Glaube und Aberglaube. Aber muss denn wirklich die Gestalt des Hl. Nikolaus die Verehrung Jesu Christi verdrängen oder kann das Kommen des Heiligen nicht gerade die adventliche Botschaft den Menschen bringen, dass Gott selbst kommen will, ganz klein und menschlich, ganz nahe einem jeden von uns?

Vielleicht haben wir einen kleinen Eindruck davon bekommen, welch große Bedeutung der Heilige Nikolaus in der Geschichte des Ostens und Westens hatte. Es wäre wohl anmaßend und vermessen, die Menschen früherer Jahrhunderte als unwissend und geringschätzig zu beurteilen. Dagegen sollten wir uns fragen: Was hat die Menschen an der Nikolausgestalt so begeistert? Was haben ihnen die Legenden des Heiligen und seine Verehrung in der Feier geschenkt? Welche Bedeutung können diese Legenden und ihre Feier für uns heute, für die Kinder, die Jugendlichen und Erwachsenen, bekommen?

DER HEILIGE NIKOLAUS IN UNSERER ZEIT

Die einen sagen: Alles Brauchtum und alle Feier, die sich um Sankt Nikolaus gebildet hat, gründe in der Mythologie. Es gehe um das Bannen von Dämonen, von Urkräften, um uralte Kulthandlungen der Germanen mitten im kal-

ten Winter, um Fruchtbarkeitsriten, die mit Lärm verbunden waren, um die Vegetationsdämonen zu vertreiben.
Andere sprechen von der psychologischen Bedeutung des Hl. Nikolaus, der das Böse, das uns in der Gestalt des Knecht Rupprecht begegnet und das Triebhafte im Menschen symbolisiere, sich dienstbar mache.
Wieder andere wie z. B. Karl Meisen, vertreten die Meinung, dass St. Nikolaus, seine Feier, sein Spiel, die Lieder und Hymnen, aus dem Bedürfnis des Menschen entspringen, die Heilsgeschichte Gottes mit den Menschen anschaulich werden zu lassen – also eine katechetische Absicht. Knecht Rupprecht entspringe aus dem Teufelsglauben, der besonders im 13. Jh. bedeutsam wird. Nikolaus wäre so der Bekämpfer des Bösen, der es schließlich in seine Schranken weist.
Für jeden dieser Erklärungsversuche spricht so einiges. Manches bleibt unerklärlich beim einen wie beim andern. Manche möchten die Erklärungen miteinander verbinden, glauben, dass sie sich ergänzen, manche sehen Widersprüche.
Einige sagen: Wir begegnen St. Nikolaus heute nur über die Legende. Sie interessieren sich weniger für den historischen Nikolaus. Sie suchen eine andere, eigene Wirklichkeit und Wahrheit in der Tatsache, dass es über den Hl. Nikolaus Legenden gibt.
Sie sagen, wenn ein Mensch sterbe, hinterlasse er kein Vakuum, sondern die Grundlagen zu einer Legende. Biographen gehen nun rückwärts und forschen nach dem Ursprung der Legende. Dabei fördern sie nur noch mehr die Legendenbildung. C. W. Jones, Prof. an der Uni. of California in Berkeley meint, man käme der Wahrheit näher, wenn man die Legende anschaue, ihre Entstehung, die Phasen ihrer Entwicklung und die dahinter stehenden, formenden Kräfte erhelle. In der Legende habe sich Leben gleichsam verdichtet und spreche uns in der Fülle der Zeugnisse an. Aber haben nicht beide recht, Biographen und Literaten? Die einen suchen rückwärts gewandt nach dem Historischen, die andern fragen – vorwärts gewandt – nach der Deutung des verdichteten Lebens.
Legenden, die wir lesen, die wir hören sollten, wollen uns zu einer wichtigen Wahrheit für unser Leben führen. „Höre Israel!" so beginnt ein Hauptgebet der Juden. Das Ohr ist ein wichtiges Organ Leben zu erfassen, der erste der Sinne, der sich beim werdenden Menschenkind im Mutterleib bildet. Und was hört das Menschenkind dort zuerst: Den rhythmischen Herzschlag der Mutter, das pulsierende Leben! Für den abendländischen Menschen wird das Hören zum Beginn der Spiritualität.
Für den östlichen Menschen ist es mehr das Schauen. Wir kommen ans Licht der Welt und die Augen werden uns geöffnet: Wir sehen die Helle. Wir sehen Bäume und Blumen, Berge und Flüsse, Wiesen und Felder, Häuser und Straßen, wir sehen Menschen. Auch wenn wir die Augen schließen, sehen wir: Wir sehen immer, auch in den Träumen sehen wir Bilder. Aber wollen wir das alles auch sehen, was wir sehen? Sind uns die visuellen Reize heute

nicht oft zuviel: Werbung, Fernsehen, Videos, Computer, Schaufenster…? Liegt denn nicht auch in unserer Verantwortung, was wir an-schauen, wenn wir nicht untätige Opfer werden wollen? Müssen wir heute nicht verstärkt lernen, bewusster und mit offeneren Augen an-zuschauen, hinter die Dinge zu schauen, gleichsam mit einem dritten Auge? So sehen Maler, Meditierende und Beter oft die Bilder. So malt und schaut man betend Ikonen.
Der Hl. Benedikt prägte Spiritualität des Westens zuerst im Hören. Die östlichen Kirchenväter verwiesen mehr auf das Schauen. Die Nähe des Lebens, des lebendigen Gottes ist im Westen mehr im Wort, im Osten mehr im Bild zu finden. Ikonen werden nach uralten Regeln gemalt. Hier verwirklicht sich nicht der Geschmack eines Malers. Die Kunst wird von Generation zu Generation weitergegeben. Dabei ist wichtig, Gottes Königtum mit Farben in die Welt zu rufen. Es sind Bilder der Heiligen Liturgie, der Heiligen Feier, die vom Glanz des Himmels hier auf Erden erzählen. Ikonen werden nicht unmittelbar zu unseren Sinnen sprechen. Sie wollen uns innerlich rühren, unser Herz öffnen, das, wie Augustinus sagt, unruhig auf der Suche ist und letztlich nur Ruhe findet, wo Gott ist. So wollen wir jetzt hören und horchen – wir wollen sehen und schauen.

DAS BILD DES HEILIGEN NIKOLAUS

Wenn ich das Bild des Hl. Nikolaus auf der Titelseite dieses Heftes oder aus der Bildmappe zur Hand nehme und anschaue:
Was sehe ich?… Welche Formen?… Welche Farben?… Welche Zeichen und Symbole?…
Wenn ich tiefer blicke: Was fällt mir auf?… Was spricht mich an?… Was könnte der Heilige zu mir sagen?… Was spricht seine Mimik?… Die Falten auf seiner Stirn?… Seine Augenbrauen?… Seine Augen?… Was sagen mir Nase und Ohren?… Was spricht sein Mund?… Wovon redet sein Bart?… Was erzählt dieses Gesicht der Geschichte aus den Jahrhunderten mir jetzt?… Was sagt mir das Gesicht aus dem Goldgrund?… Was spricht der Goldgrund selbst, was der Schmuck um ihn herum?…
Vielleicht möchte auch ich etwas zum Heiligen sagen, ihn etwas fragen, ihn bitten… oder beten: Heiliger Nikolaus! Du großer Mann durch die Jahrhunderte! Hilf mir, in Ehrfurcht Dir näher zu kommen und komm Du mir näher mit Gottes Liebe, Weisheit und Güte. Amen!
Auf den Ikonen ist der Hl. Nikolaus der beliebteste und deshalb am häufigsten dargestellte Heilige. Meist kann man sein Antlitz von den anderen Heiligen gut unterscheiden. Er ist dargestellt mit kantigem, gestutztem Bart, wenig Haaren auf dem Haupt, mit Sorgenfurchen in der Stirn, mit wachen Augen, die den Betrachter immer anschauen, mit strengem, ernstem und doch mildem Gesicht. Man stellt ihn im Porträt dar, als Halbfigur, man zeigt seine Lebensgeschichte, zeigt ihn als Wundertäter, meist ganzfigurig als streitbaren Hirten mit Schwert in der Rechten und einer Kirche in der Linken.

Der Heilige wird mit dem Heiligenschein (Nimbus) dargestellt. Er zeigt an, wo der Heilige herkommt und wo sein Leben Vollendung gefunden hat: Anfang und Vollendung aus der goldenen Welt Gottes. Gold als Farbe des Lichtes und der Kostbarkeit: die **güldene** Sonne, die das Dunkel vertreibt, das **goldenene** Zeitalter (Ovid), das Paradies, der Himmel, eine Welt, wo Gott alle Tränen abwischt und wo es kein Leid gibt und keine Trauer.
Der Bischof trägt das rote Gewand. Rot, die Farbe der Energie und Kraft, die Farbe des Blutes, der bekennenden Zeugen. Um die Schultern ist ihm das weiße, mit Kreuzen bestickte Stoffband gelegt, das Omophorion, das seine Bischofswürde anzeigt. Oft hat der Bischof die rechte Hand zum orthodoxen Segensgruß erhoben, wobei drei Finger dir Trinität mit Gott Vater, Sohn und Heiligem Geist versinnbildlichen und zwei Finger die göttliche und gleichzeitig menschliche Natur Jesu Christi symbolisieren. In der Linken hält er meist mit einem Stofftuch (in der Ostkirche ein Zeichen der Ehrfurcht) die Heilige Schrift. Auf vielen Ikonen finden wir rechts und links vom Kopf des Bischofs Medaillons mit Jesus und Maria: Jesus, der Nikolaus das Evangelienbuch reicht und Maria, die ihm das Omophorion gibt. Dabei stehen meist die Buchstaben: „IC XC" = Jesos Christos bzw. „MP OY" = Meter Theoy. Dazu wird im Volksmund erzählt, dass sich Bischof Nikolaus auf dem Konzil von Nizäa mit dem Irrlehrer Arius gestritten habe und im Eifer des Gefechtes ihn ohrfeigte. Dafür forderte der Konzilsleiter, Bischof Hosios, das Bischofsomophorion von Nikolaus zurück. In der Nacht träumte Hosios, dass Christus das Evangelienbuch und Maria das Omophorion für Nikolaus in ihren Händen hielten. So rechtfertigten sie ihn von höchster Stelle aus, und er wurde am nächsten Tag wieder in Amt und Würden eingesetzt. Auch die Darstellung mit Schwert und Kirche zeigt Nikolaus als Kämpfer für den Glauben.
Rand und Nimbus der Ikone wurden oft mit Ornamenten geschmückt. Der Rand zeigt, dass sich jedes Menschenleben, auch das des Heiligen, in einem gegeben Rahmen abspielt, eine Grenze, ein Ende hat. Einzig im kreisrunden Nimbus, der enthüllten Wolke, gleichsam dem Fenster zu einer anderen, tieferen Wirklichkeit, rund herum oft kostbar geschmückt mit Ornamenten aus Silber oder Gold, werden wir auf eine tiefere Sicht des Lebens, auf Gott selbst verwiesen.
Zur Entstehung des Ikonenbildes gab und gibt es seit Jahrhunderten genaue Anweisungen: Zuerst wird das Brett vorbereitet und geleimt. Dann wird es eingefasst und der erste Malgrund aufgetragen. Das wiederholt sich ein zweites und drittes Mal. Der Malgrund wird poliert. Rahmenleisten für die Vertiefung werden angebracht. Mit der Modellierung und Grundierung des Bildträgers sind die Vorbereitungen abgeschlossen. Der Maler zeichnet das Motiv auf und grundiert für die Vergoldung. Dann vergoldet er den Hintergrund. Die Vorzeichnung hebt sich unstrukturiert aus dem Goldgrund. Der Maler malt von links oben nach rechts unten, erst grob, dann in gleicher Reihenfolge die Details. Alles geschieht unter genauen Anweisungen und im Gebet. Es ist wohl ein meditatives Schauen, wobei Gott gleichsam den Pinsel führt.

EIN LICHT LEUCHTET AUF

ZUM NACHDENKEN

Ein Mensch hat das Licht der Welt erblickt. Wir kommen alle aus dem Dunkel des Mutterschoßes ans Licht. Umgekehrt kann jeder Mensch Licht ins Dunkel seiner Umwelt bringen, dort, wo er Vertrauen bringt, Wohlwollen und Verständnis, Versöhnung und Hoffnung, Trost und Heilung, wo er Gutes denkt und tut. Nikolaus war so ein Mensch. Ob der Bischof von Myra oder der Abt von Sion, beide waren sie engagiert für ihren Glauben, sie lebten im Vertrauen auf Gottes Liebe und gaben diese weiter. So setzten sie mit ihrem Leben und Tun ein Hoffnungszeichen. Nikolaus wird auch für uns bedeutsam, wenn er uns etwas bedeutet. Wenn ein Mensch uns etwas bedeutet, ist es nicht wichtig, ob er einen großen Namen hat. Wir schätzen ihn, und er schätzt uns, wir fühlen uns von ihm verstanden und angenommen. Und wenn er von uns gegangen ist, dann heben wir oft kleine Dinge auf und gedenken liebevoll seiner. Denn all diese Dinge erinnern uns an schöne und glückliche Stunden unseres Lebens und sie machen uns ein Stück des Lebens aus der Erinnerung wieder lebendig. Warum ist das so? Weil der, der aus Liebe etwas gibt, nicht nur etwas schenkt, sondern in diesem Geschenk sich selbst. Deshalb ist es wohl gut, unser Feiern mit dem Licht zu beginnen.

GESTALTUNG

Material: Bienenwachskerze, Holzstäbe oder Kartonstreifen für Wege, Teelichter, Schmuckmaterial.

Wir versammeln uns im Kreis.
Wir geben eine Bienenwachskerze im Kreis weiter.

Wir suchen die Mitte des Kreises und stellen die Kerze in die Mitte.

Wir entzünden das Licht.
(Wir können vorher den Raum verdunkeln.)

Die Kinder schauen die Flamme an.

Wir spielen mit den Händen das Flackern der Flamme.
Wir werden langsam ruhig und still.

Ein Kind geht in die Mitte.
Es hält die Hände nahe an die Flamme und spürt die Wärme.

Es bringt einem anderen Kind die Wärme,
d.h. es legt seine gewärmten Hände
auf die offenen des anderen Kindes.
Dieses geht wieder in die Mitte usf.

Wir geben die brennende Kerze im Kreis weiter.
Ein Kind hält die Kerze.
Ein anderes hat die Augen geschlossen.
Es kann Helligkeit und Wärme im Gesicht spüren.

Die Kerze wird wieder in die Mitte gestellt.
Vielleicht möchten wir ihr etwas sagen:

Licht, du bist schön! Licht, du machst hell!
Licht, du machst froh! Licht, du machst warm!...

Wir legen Wege vom Licht zu uns.
Ein Kind beginnt und legt zum Nachbarkind
mit Kartonstreifen oder Holzstäbchen einen Weg.

Wir lassen das Licht sprechen. Was könnte es zu uns sagen?

Ich will zu dir kommen!
Ich will dein Leben hell machen! Ich will dir Freude bringen!...

Die Kinder zünden jeweils für das Nachbarkind
ein Teelicht an und stellen es an das Ende des Weges.

Dabei können wir singen:
Wir zünden eine Kerze an, ihr Licht brennt hell,
ihr Licht brennt warm. Ihr Licht vertreibt
die Dunkelheit, ihr Licht unser Herz erfreut.

Jedes Kind kann dem andern auch einen Wunsch
zusprechen, wenn es die Kerze hinstellt.

Wir fassen uns an den Händen und beten:

Guter Gott!
Oft ist es draußen dunkel. Dann wünschen wir uns das Licht.
Manchmal ist es aber auch in den Herzen der Menschen dunkel:
wenn wir traurig sind oder gestritten haben, wenn Menschen fortgegangen oder gar gestorben sind, ...
Dann wünschen wir uns einen, der uns hilft, einen, der wie ein Licht ist, der es wieder hell und warm in unseren Herzen werden lässt.
Du schickst uns oft solche Menschen. Du kommst selbst, guter Gott,
und willst ein Mensch werden und uns menschlich nahe sein.
Wir danken dir dafür. Amen.

Danach können wir die Kostbarkeit des Lichtes zeigen und unser Teelicht bei leiser Musik schmücken.

In der nächsten Einheit wollen wir diese Meditation wieder aufgreifen. Es folgt gleichsam eine Rahmengestaltung, die wir zu jeder Legende beibehalten können.

Rahmengestaltung

Wir versammeln uns im Kreis.
Erzieherin:

Heute wollen wir eine alte Stadt bauen.
Um die Stadt gibt es eine feste Mauer.

Die Erzieherin reicht dem rechten Kind die Hand. Das Kind gibt die Hand rechts weiter.

So bauen wir die Mauer. Wir können auch singen: Stein auf Stein, Stein auf Stein, die Mauer wird bald fertig sein.

Wenn der Kreis geschlossen ist, erzählt die Erzieherin weiter:

In der Mauer gibt es Tore. Man kann durch die Tore in die Stadt hinein- und hinausgehen. Am Morgen werden die Tore aufgemacht.

Wir heben die Arme.

Und am Abend werden sie wieder geschlossen.

Wir senken die Arme.

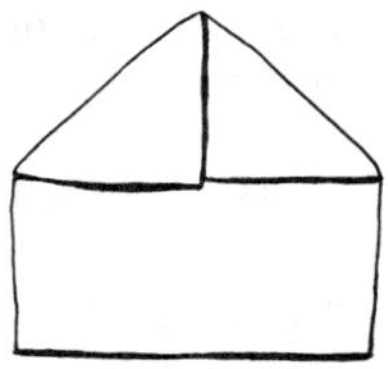

In der Stadt, da wohnen Menschen.
Da wohnen Mütter und Väter mit ihren Kindern.
Sie wohnen in ihren Häusern.

Jedes Kind bekommt ein dunkles Tuch oder sucht es sich aus. Es gestaltet mit diesem Tuch ein Haus und legt es vor sich mit dem Dach nach außen auf den Boden.

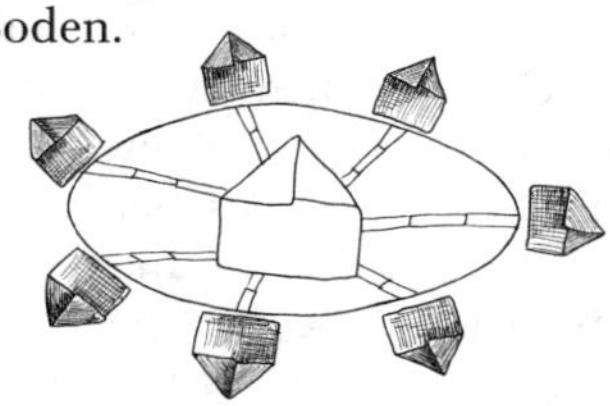

In der Mitte der Stadt steht ein großes und schönes Haus. Hier treffen sich die Menschen dieser Stadt, um zu singen, zu beten, zu essen und zu feiern. Es ist eine Kirche.

Mit einem hellen Tuch wird in der Mitte eine Kirche gestaltet.

Oft kommen die Menschen aus ihren Häusern heraus und gehen zur Kirche.

Die Kinder legen Wege von ihrem Haus zur Kirche in der Mitte.

Wenn die Menschen mit Gott feiern, dann zünden sie die Kerze an. Das Licht sagt: Gott ist da.
Sie singen und sagen Gott alles, was sie auf dem Herzen haben, das Traurige und Fröhliche, das Gute und das Böse. Sie verzeihen einander und essen miteinander. Und wenn sie das tun, ist Gott immer bei ihnen. Er

gibt ihnen Mut und Kraft, gute Gedanken und offene Hände, das zu tun, was not-wendig ist.
Um die Kirche ist ein Marktplatz. Wenn am Morgen die Tore der Stadt aufgehen, dann kommen Händler in die Stadt. Sie bringen Waren: Obst und Gemüse, Getreide, Nüsse, orientalische Gewürze, wie Zimt und Anis, Ingwer und Kardamon,.... kostbare Stoffe und Edelsteine, ... Leben ist in der Stadt, in den Straßen und Gassen, auf den Plätzen spielen Kinder, rufen Mütter, arbeiten Väter und Großväter trinken Tee ... Leben ist in der Stadt. Die Stadt, von der ich euch erzähle, ist eine alte Stadt. Sie liegt in der heutigen Türkei und wurde vor vielen hundert Jahren gebaut. Sie heißt Myra. Was in dieser Stadt passierte, will ich euch in den nächsten Tagen erzählen.

Aus der Lebensgeschichte des Heiligen Nikolaus

ZUM NACHDENKEN

Aus der Kindheitsgeschichte des Hl. Nikolaus wissen wir wenig. Die Legenden heben zwei Ereignisse hervor. Als Sohn frommer Eltern geboren, stand Nikolaus bei seinem ersten Bad aufrecht im Badezuber und erregte bei Eltern und Umstehenden große Verwunderung. Am Mittwoch und Freitag, den beiden früheren Fasttagen, verweigerte er die Brust der Mutter. Hier wird Nikolaus schon in früher Kindheit als ein aufrechter Mensch dargestellt, der enthaltsam lebte und zum Zeichen für seine Umwelt wird in dem, was er tut. Er soll sich als Kind durch große Frömmigkeit, ungewöhnliche Begabung und beispielhafte Fürsorge für seine Mitschüler ausgezeichnet haben, so die Legende. In seiner Vaterstadt galt er bald als vorbildliches Gotteskind. Auch die Legenden um seine Bischofsweihe weisen auf seine Auserwählung hin. Nach anfänglichem Sträuben, das Amt anzunehmen, sprach er sein Ja als seine Antwort zu Gottes Ruf. Auch heute braucht es auf-richtige Menschen, die auch in allem Überfluss enthaltsam leben können. Auch heute braucht es echte Frömmigkeit und keine Frömmelei. Auch heute müssen wir unsere und der Kinder Begabungen ent-wickeln und ent-falten und in verantwortlicher Für-sorge leben für Umwelt und Menschen. Auch wir sind von Gott gerufen, dort, wo wir stehen, unser Ja zu sprechen und das Not-wendige zu tun.

GESTALTUNG

Nach der Vorlage von Erich Jooß hat Franz Kett versucht, die Kindheitsgeschichte für Kinder anschaulich zu gestalten. Wir wollen diese Einheit den Nikolauslegenden voranstellen und sie mit einer Nikolausfeier verbinden. Sie kann an die Rahmengestaltung anschließen.

Material: Tücher oder Servietten für Häuser, helles Tuch für Kirche, evtl. Stabpuppe für Nikolaus, Pergamentrolle als Schriftrolle, Teelichter für jedes Kind, Bischofsmütze und Stab.

Wir haben uns versammelt, um das Fest des heiligen Nikolaus zu feiern, etwas aus seinem Leben zu schauen und zu hören. Unsere Geschichte führt uns in eine alte Stadt, namens Myra. Wer es genau wissen will: Myra ist eine Hafenstadt an der Küste der heutigen Türkei.

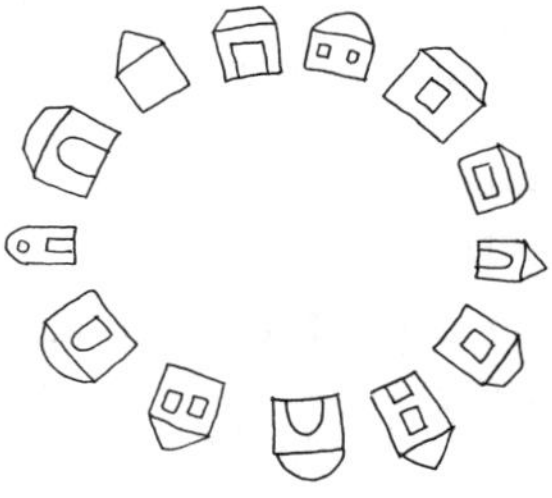

Die Teilnehmer werden aufgefordert, sich an der Hand zu fassen und mit hoch erhobenen Händen die Häuser der Stadt Myra zu zeigen. Bei einer kleineren Teilnehmerzahl können wir die Häuser der Stadt oder ihre Tore auch mit bunten Rhythmiktüchern, bzw. farbigen Papierservietten vor den Stühlen gestalten.

1. Erzählung: Nikolaus, ein Junge, der gerne Geschichten hört

In der Stadt Myra gibt es ein besonders schönes, großes Haus.

– *Der Erzähler bestimmt eines der gelegten Häuser zu diesem Haus oder gestaltet es neu mit einem hellen Tuch.*

Es wird von reichen Leuten bewohnt. Kaufleute sind es. Es fehlt ihnen an nichts. Sie haben ein Kind, einen Sohn. Er wurde auf den Namen Nikolaus getauft.

– *Es kann der Junge Nikolaus als Stabpuppe in das Haus gestellt werden.*

Nikolaus wächst heran im reichen Haus seiner Eltern, in der Stadt Myra. Mit den Jungen aus der Nachbarschaft geht er zum Meer, an den Strand, sucht Muscheln, baut Sandburgen. Er baut mit seinen Freunden in den Wäldern hinter der Stadt Baumhäuser. Sie spielen Fangen, Verstecken. Am Abend vor dem Schlafengehen wünscht er wie viele Kinder, dass ihm die Mutter Geschichten erzählt. Die Mutter besitzt ein kostbares Kästchen. Darin befinden sich viele Rollen aus Pergament.

– *Der Erzähler zeigt eine Pergamentrolle, nennt ihren Namen: „Schriftrolle" und erklärt, dass es zur Zeit des Nikolaus keine Bücher, sondern eben solche Rollen gab.*

Die Mutter des Nikolaus besitzt viele solcher Rollen. Immer wieder liest sie Nikolaus daraus vor, Geschichten besonderer Art, Geschichten von Jesus, von seinem Leben und Sterben. Nikolaus hört gerne Jesusgeschichten. In seinem Herzen ist eine große Liebe zu Jesus gewachsen. Eines Tages liest die Mutter eine Jesusgeschichte vor, die dem Nikolaus nicht mehr aus dem Kopf geht.
Text aus Mt 19–22 (kann auch frei erzählt werden)
„Es kam ein Mann zu Jesus und fragt: Meister, was muss ich Gutes tun, um das ewige Leben zu gewinnen? Er antwortete: Was fragst du mich nach dem Guten? Nur einer ist „der Gute". Wenn du aber das Leben erlangen willst, halte die Gebote! Darauf fragte er ihn: Welche? Jesus antwortete: *Du sollst*

nicht töten, du sollst nicht die Ehe brechen, du sollst nicht stehlen, du sollst nicht falsch aussagen; ehre Vater und Mutter! Und: Du sollst deinen Nächsten lieben wie dich selbst! Der junge Mann erwiderte ihm: All diese Gebote habe ich befolgt. Was fehlt mir jetzt noch? Jesus antwortete ihm: Wenn du vollkommen sein willst, geh, verkauf deinen Besitz und gib das Geld den Armen; so wirst du einen bleibenden Schatz im Himmel haben; dann komm und folge mir nach. Als der junge Mann das hörte, ging er traurig weg, denn er hatte ein großes Vermögen."

Die ganze Nacht hat Nikolaus von dieser Geschichte geträumt. Als er am Morgen aufsteht, fragt er Mutter und Vater: „Warum tun wir nicht, was Jesus verlangt, alles verkaufen und das Geld den Armen geben?" „Wir können es nicht", sagen die Eltern. Nikolaus verspürt in seinem Herzen eine große Traurigkeit.

2. Erzählung: Nikolaus fährt ins Heilige Land

Nikolaus vergisst die Geschichte von dem reichen, jungen Mann, der zu Jesus kommt, nicht. Er ist selber ein reicher, junger Mann und Jesus bedeutet ihm viel. Als er 18 Jahre alt ist, reist er in das Land, wo Jesus gelebt hat, nach Palästina, in das Heilige Land. Es interessiert ihn, wo Jesus geboren wurde, wo er gelebt hat, gestorben ist. Er besucht Bethlehem und Nazareth, die Stadt Jerusalem. Er geht in die Wüste. Er will dort wie Jesus 40 Tage lang fasten, beten, über sein Leben nachdenken. Am liebsten möchte Nikolaus im Heiligen Land bleiben, am Rand der Wüste in einer Höhle als Einsiedler leben. Doch da hat er einen Traum. Er hört im Traum eine Stimme, die sagt: „Kehre wieder heim nach Myra. Du wirst dort gebraucht. Kehre sofort zurück." Nikolaus glaubt, dass in dieser Stimme Gott zu ihm spricht. Er will Gott gehorchen. Aber womit soll er die Heimfahrt bezahlen? Er hat kein Geld mehr. Er hat alles den Armen geschenkt. Einem Kapitän ist ein Ruderknecht krank geworden. Wenn Nikolaus die Stelle des Ruderknechts übernimmt, kann er kostenlos mitfahren. Nikolaus spürt, er muss heim. Der Traum sagt es ihm. Er willigt ein. Schwer ist die Arbeit des Ruderns bei heißer Sonne, Wind und Regen. Nikolaus ist solche Arbeit nicht gewöhnt.
Um durchzuhalten, singt er mit den Ruderknechten das Lied:

(Das Lied kann im Kanon gesungen und mit Bewegung begleitet werden.)

Text: F. Kett, Melodie nach „Heho, spann den Wagen an"

3. Erzählung:

Nikolaus kommt vom Heiligen Land zurück und wird zum Bischof erwählt

Zu Hause, in der Stadt Myra ist große Trauer. Der Bischof der Stadt war gestorben. Wir haben unseren Hirten verloren, sagen die Leute. Wer führt uns zu Gott? Wer sorgt für die Armen, die Alten? Viele Menschen sind in der Bischofskirche von Myra versammelt. Mit Lichtern sind sie gekommen. Es ist Nacht.

– *Die Teilnehmer erhalten Teelichter. Sie tragen sie in die „Kirche", stellen sie im Rund ab.*

Die Menschen rufen und beten: Gott, schick uns einen Bischof, der gut ist zu den Armen, der die Kinder liebt, der die Kranken und Alten besucht, der barmherzig ist zu den Sündern, der uns den Weg zu dir, dem Vater im Himmel zeigt, usw.

Eine alte Frau spricht plötzlich zu den Menschen in der Kirche: „Hört, hört, ich hatte einen Traum. Gott schickt uns einen Bischof. Der erste, der heute morgen unsere Kirche betritt, ist der von Gott gesandte. Er soll unser Bischof werden."
Das Schiff, auf dem Nikolaus rudert, nähert sich Myra (eventuell nochmals Ruderlied). Es legt im Hafen an und alle sind froh, die Reise übers Meer gut überstanden zu haben. Nikolaus eilt zur Kirche. Er will Gott für die Überfahrt danken. Als er die Kirche betritt, schauen die Menschen auf ihn und rufen: „Dich schickt Gott. Du sollst unser neuer Bischof sein." Nikolaus weiß nun, warum er heimgerufen wurde. Er erkennt darin Gottes Wille. Er ist bereit, der Bischof der Stadt zu werden. Er empfängt die Zeichen des Bischofs.

– *Kinder bringen Stab und Bischofsmütze, eventuell Ring.*

Nikolaus wurde Bischof der Armen. Er ging nachts oft durch die Stadt, um die Kranken, die Alten und auch die Kinder zu besuchen. Er tröstete und teilte Brot aus. Seine Güte und Menschen-freundlichkeit wurde bis heute nicht vergessen. So feiern wir heute wiederum sein Fest und erwarten ihn in unserer Mitte!

Nikolausbesuch

Wenn der Bischof Nikolaus das Haus betritt, empfangen ihn die Hausbewohner/Kinder gewöhnlich mit einem Lied. Er antwortet und begrüßt in Reimform. Wir möchten auf eine Begrüßungsrede im Heft 80/4, S.54 verweisen und bringen zugleich eine neue. Als Lied zum Empfang des Heiligen wird eine den Kindern vertraute Weise gesungen.

Text: R. Krenzer, Musik: D. Jöcker

2. Der Nikolaus ist hier. Hat jemand Angst vor mir?
   Wir rufen ganz laut: „Nein!" Dann komm' ich gern herein!
3. Du bist ein lieber Mann! Das sieht dir jeder an!
   Siehst wie ein Bischof aus! Wie Bischof Nikolaus!
4. Der Bischof Nikolaus ging einst von Haus zu Haus.
   Da war'n die Kinder froh. Und das ist heut noch so!
5. Der Bischof Nikolaus teilt' einst die Gaben aus.
   Du machst es ebenso. Drum sind wir Kinder froh.
6. Musst du dann weitergehn und sagst auf Wiedersehn,
   gehn wir mit bis zur Tür, und alle winken dir.

Aus: MC und
Liederheft
Weihnachten ist nicht
mehr weit.

Begrüßung durch den Nikolaus

Ich grüße euch, ihr netten Leute,
denn auf dem Wege bin ich heute
auch bei euch vorbeigekommen.
Habt Dank, ihr habt mich aufgenommen.
Den ganzen Tag bin ich gelaufen,
möchte ein wenig bei euch verschnaufen.
Darum erfüllt mir eine Bitte:
Lasst mich sitzen in eurer Mitte,
denn weil ihr so freundlich seid,
nehm' ich mir gerne etwas Zeit.
Ich möchte euch Kindern vieles berichten,
erzähle euch heute manche Geschichten
von Menschen, die vor vielen Jahren
in einem fernen Lande waren.
Damals erzählten sich die Leute
und haben es weitergetragen bis heute,

dass es einmal in einer Stadt
einen guten Mann gegeben hat.
Sein Name war Bischof Nikolaus.
In seinem Gewand betret' ich euer Haus,
um euch zu sagen, dass es auch in diesen Tagen
solch Menschen braucht, die es wagen,
auf der Seite der Armen zu leben,
den Kranken und Traurigen Hoffnung zu geben,
für die dazusein, die trotz Regen und Wind
nirgendwo Zuhause sind,
die trotz Kälte und schmerzendem Rücken
schlafen müssen unter Bäumen und Brücken,
denen Essen und Trinken zu geben,
die hungrig und durstig den Tag erleben.
Nikolaus aus Myra – so hieß seine Stadt,
war ein Mensch, der all dies tat.
So komme ich in der Gestalt des Nikolaus
jedes Jahr in euer Haus.
Ich möchte euch was Kleines schenken,
ihr sollt ein wenig daran denken,
dass Äpfel, Nüsse, Mandelkerne,
Tannenzweige und Kerzenwärme
Zeichen für Gottes Liebe sind,
für Frauen, Männer, jedes Kind.

Hier können die Häuser oder Tore der Kinder vom Nikolaus oder seinen Helfern mit Äpfel, Lebkuchen, Nüssen, einem Tannenzweig und einem Licht gefüllt werden.

Oft sind es ja die unscheinbaren Sachen,
die den Menschen Freude machen.
In der kalten Winterzeit
behält die Tanne ihr grünes Kleid,
will uns damit Hoffnung geben
auf ein neues gutes Leben.
Ein kleines Licht wie ihr wisst,
verdrängt die dunkle Finsternis,
den Traurigen es Hoffnung schenkt,
den Verirrten auf den Weg wieder lenkt.
Gott selbst wurde Mensch, das wisst ihr ja,
als Maria ein kleines Kind gebar.
So klein und unscheinbar, auf kaltem Stroh
machte das Kind die Menschen froh,
schenkte ihnen Wärme und Licht,
Geborgenheit und Zuversicht.
So sollen auch wir in unserem Leben
einander Freude und Liebe geben.
So wünsch ich euch eine gute Zeit,
begegnet einander mit viel Freundlichkeit.
Ich werd nun wieder weitergehen,
bis nächstes Jahr, auf Wiedersehen.

Christoph Rüttger

DIE RETTUNG AUS DER FLUT

ZUM NACHDENKEN:

Unsere Zeit ist beständig im Fluss. Manchmal sind wir geschüttelt von heftigen Stürmen: Da quälen uns Sorgen in Freundschaft und Partnerschaft, Ärger im Beruf, Nöte in der Erziehung unserer Kinder und Jugendlichen, deren Lebensschifflein wie eine Nussschale vom Sturm des Lebens hin- und hergeworfen wird: Krankheit, Unzufriedenheit mit Leistungen in Schule und Beruf, zweifelhafte Freunde, Drogen, Gewalt im Fernsehen und Computer, Kriminalität... und vieles mehr. Oft geht jemand darin unter.

Wer oder was hilft? Nikolaus war so ein Mensch, der realistisch die Not der Einzelnen wahrnahm. Aus der Kraft der Liebe Gottes suchte er realistische Wege der Hilfe. Und wir?

GESTALTUNG

Material: 2 braune Tücher für Haus und Boot, blaue Tücher für den Fluss, Tücher für Häuser, eine Kerze, eine kleine Kerze oder ein Teelicht, Material zum Gestalten von Blumen.

<u>Auf dem Erdkreis versammelt</u>

Wir versammeln uns und stellen uns im Kreis. In der Mitte breiten wir ein braunes Tuch aus.

Erzieherin:

Wir haben uns versammelt. Das Braun in unserer Mitte könnte uns an die Erde erinnern. Die Erde trägt und hält uns.

Die Erzieherin gibt ihre Hand an den rechten Nachbarn weiter, dieser reicht seinem rechten Nachbarn die Hand usw.

Die Erde trägt mich und dich, uns alle trägt sie. Auf diesem Erdkreis gehört alles Leben zusammen.

GEBORGEN ZU HAUSE

Wir falten die oberen zwei Ecken des Tuches zu einem Haus.

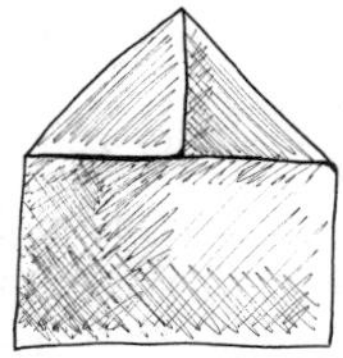

> Auf unserer Erde darf jeder wohnen. Wir bauen Häuser auf der Erde, dass jeder geschützt ist.

Wir stellen die Füße auf den Boden.

> Das Haus muss ein festes Fundament haben. Es muss fest auf dem Boden stehen. Dann werden die Mauern gebaut.

Die Erzieherin gibt die linke Hand dem linken Nachbarn, der gibt seine Linke nach links weiter usw.

> Die Steine halten zusammen. Die Mauern schützen nach außen und innen geben sie Raum. Alle, die darin wohnen, finden ihren Platz. Sie dürfen sich sicher fühlen im Haus.

Die Kinder setzen sich auf die Stühle im Stuhlkreis.

SICHER IM BOOT

Ein zweites braunes Tuch wird wie ein zweites Haus an das erste Tuch gelegt, sodass eine Bootsform entsteht.

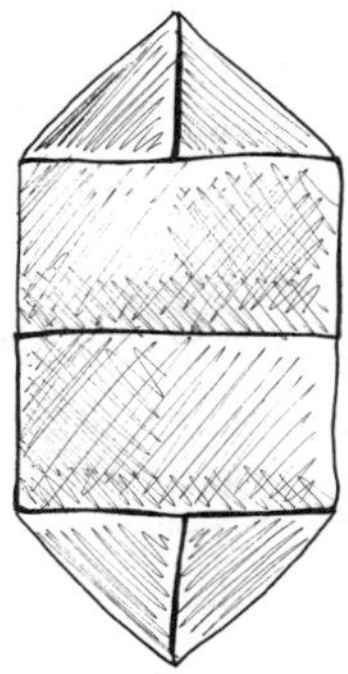

> Ein Boot ist entstanden. Es ist wie ein Haus, ein Hausboot. Wenn wir uns an den Händen nehmen, können wir so ein Boot sein.

Wir fassen uns an den Händen und spielen zum Text:

> Wenn das Boot ins Wasser geschoben wird, dann schwankt es ein wenig hin und her. Manchmal nimmt es eine Welle hoch.

Wir stehen auf.

> Das Boot schwankt vor... und zurück... nach rechts... und nach links... In einem Fluss muss man es am Ufer festmachen, sonst schwimmt es davon.

Kinder setzen sich.

> Manchmal ist das Boot groß. Da muss man gemeinsam rudern, wenn man vorankommen will.

Wir ahmen das Rudern mit den Händen nach.

Manchmal ist es klein wie eine Nussschale.

Jeder zeigt mit beiden Händen ein kleines Boot.

Das kleine Boot fährt ruhig auf dem Fluss. Es ist wie ein kleines schwimmendes Haus. Es bringt die Menschen meist sicher ans andere Ufer. Es bringt sie weiter im Fluss.

IN FLUSS KOMMEN

Hört ihr den Fluss?

Die Erzieherin spielt auf dem Glockenspiel (Glissando).

Von weit her kommt er. Aus den Bergen. Als kleine Quelle entspringt er aus dem Felsen und fließt ins Tal als kleines Bächlein. Immer mehr wird das Bächlein zum Fluss, der Fluss zu einem großen weiten Strom.

Die Kinder spielen mit Händen und Fingern zur Erzählung.

Manchmal gibt es Strudel im Strom. Gefährlich ist es da. Man muss aufpassen, dass man nicht hineingezogen wird. Manchmal kommt Wind auf.

VOM STURM HIN- UND HERGEWORFEN WERDEN

Die Kinder erhalten blaue Tücher. Das Spiel kann durch Xylophon, Pauken und Becken verstärkt werden. Kinder stellen die Erzählungen dar.

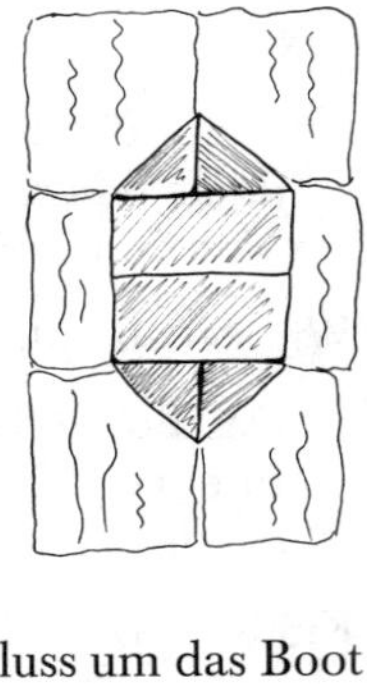

Zuerst ist der Wind noch ganz leicht, eine Brise. Dann wird er stärker. Die Wellen werden höher und höher. Sie schlagen über das Boot. Der Sturm wühlt das Wasser auf. Es spritzt und wirbelt hoch. Langsam legt sich der Sturm.

Die Kinder werden angeleitet, die blauen Tücher wie einen Fluss um das Boot und durch den Erd-Kreis zu legen. Die Kinder legen nacheinander. Das Tun kann mit Glockenspiel begleitet werden.

DIE ERZÄHLUNG VON DER RETTUNG

Das Boot liegt am Ufer des Flusses. Ich will euch erzählen, was mit diesem Boot geschehen ist. Am Ufer des Flusses liegt ein kleines Dorf. Links und rechts des Flusses haben Menschen Häuser gebaut.

Die Kinder bauen links und rechts des Flusses im Halbkreis mit Tüchern kleine Häuser an ihrem Platz.

In einem Haus wohnt ein kleiner Junge mit seinen Eltern. Oft rudert er mit seinem Boot in die nächste Stadt auf den Markt, um Essen einzukaufen oder er bringt Fremde von einem zum anderen Ufer, um sich ein wenig Geld zu verdienen. Er und seine Eltern haben nicht viel, sie sind arm. Aber sie lieben einander. Die Eltern sind stolz auf ihren Jungen und freuen sich, weil er gütig und liebevoll ist. Einmal ist er wieder unterwegs zum Markt, um Essen zu holen. Er steigt in das Boot und rudert zur nächsten Stadt.

Die Kinder spielen das Rudern. Instrumente begleiten.

Da kommt Wind auf – immer mehr – Sturm. Dem Jungen fällt das Ruder aus der Hand.

Die Kinder stellen die Wellen dar. Instrumente untermalen.

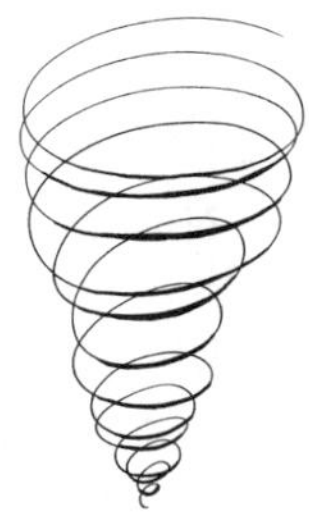

Wellen schlagen über das Boot. Hin und her wird es geworfen. Nach rechts und nach links. Strudel wollen das Boot in die Tiefe ziehen. Der Bub fällt aus dem Boot. Das Wasser verschlingt ihn. Der Sturm legt sich. Es ist still. – Totenstill.

Ruhepause

Die Eltern sind in großer Not. Sie weinen und trauern um ihr Kind. Wo ist es nur? Wird das Wasser ihnen ihr geliebtes Kind nur noch tot zurückgeben? In ihrer großen Not gehen sie zu Bischof Nikolaus. Sie sagen: Du bist ein Mann Gottes. Du hast viel Gutes getan. Wir können nicht mehr beten. Bete du für uns zu Gott, dass er uns unser Kind wohlbehalten wieder geben möge. Und Nikolaus lässt sich von der Not rühren. Er geht zu dem leeren Boot, das man gefunden hat.

Nikolaus kommt.

Der Bischof ist ganz ruhig und still. Ganz still zündet er ein Licht an. Er stellt es in das Boot. Er schaut, wie die Kerzenflamme ruhig und doch bewegt brennt. Ein wenig macht sie das Dunkel hell. Der Bischof betet:

Nikolaus betet:

Guter Gott! Du bist ein Gott des Lebens und nicht des Todes. Du siehst die Not und das Leid der Menschen. Du siehst die Traurigkeit. Hilf allen, die Not leiden und traurig sind. Schenke ihnen Mut und Hoffnung. Gib ihnen neues Leben. Schenk den Eltern ihr Kind. Gib dem Kind seine Eltern. Lass alle froh und glücklich miteinander leben. Amen.

Erzieherin:
Und stellt euch vor: Zwei Tage und Nächte vergehen. Und am Morgen des dritten Tages kommt das Kind am Ufer des Flusses entlanggelaufen, direkt auf das Elternhaus zu. Das ganze Dorf läuft dem Jungen entgegen.

Die Kinder laufen am Platz, langsam beginnend, dann immer schneller. Das Getrappel endet kurz.

Der Junge läuft in die offenen Arme der Eltern. Sie herzen und küssen einander und Tränen der Freude fließen in den Fluss.

Nikolaus entzündet ein Licht an der Kerze im Boot und stellt es in das Haus des Jungen. Dann spricht er:

Seht, so ist Gott. Er schenkt uns das Leben. Er schickt uns Menschen, die uns mit offenen Armen aufnehmen und uns lieb haben. Er öffnet selbst seine Arme und nimmt uns auf, wenn wir ganz allein und verlassen sind. Und wir dürfen immer bei ihm wohnen, alle Tage unseres Lebens. Darum lasst uns feiern und fröhlich sein.

Die Kinder singen und tanzen: Ich freu mich, dass ich leben darf... Danach dürfen sie an den Flussufern, an den Häusern Blumen als Zeichen neuen Lebens, des Frühlings gestalten. ... und/oder der Bischof lädt zum Essen und Trinken und Fröhlichsein ein.

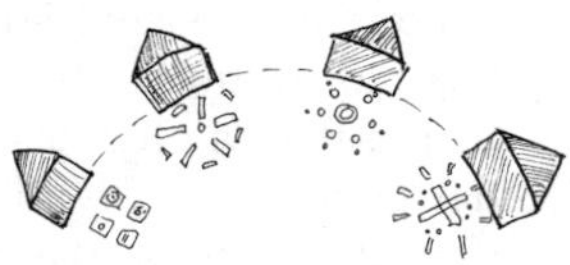

RETTUNG AUS DEM GEFÄNGNIS

ZUM NACHDENKEN

Die Geschichte von den drei Feldherrn ist die älteste aller Nikolausgeschichten und die einzige des Bischofs von Myra. Man nimmt an, dass sie zur Zeit des Kaisers Justinian (527–565) schriftlich festgehalten wurde. Nach dieser Geschichte wurde Nikolaus der Beschützer und Retter derer, die zu Unrecht verdächtigt wurden, der Verfolgten und Gefangenen. Die älteste Kirche Roms, die ein Nikolauspatrozinium feiert, ist nach dieser Legende benannt: S. Nicolai in Carcere. Was könnte uns diese Geschichte heute sagen?
Vielleicht kennen sie das: Man hat sich bemüht, seine Kraft, Zeit und Geld eingesetzt, um etwas zum Guten zu lenken. Man hat es geschafft und ist selbst geschafft. Man hätte Ruhe und Anerkennung verdient, aber es soll nicht sein. Man gönnt uns den Erfolg nicht: Intrigen, Verleumdung, Missverständnisse, Neid, Missgunst, Hass, Mobbing... Das nagt an einem. Man verstrickt sich in die Machenschaften der Umwelt. Immer mehr geraten wir in ein inneres Gefängnis. Wer befreit uns? Wer bringt endlich Licht in das Dunkel? Wer klärt auf, bringt Durchblick, Klarheit, Wahrheit? Der Hl. Nikolaus war so ein Mensch. Er schaute nicht nur auf das Äußere. Er blickte tiefer, hielt sich nicht nur an äußere Fakten. Er wollte die Herzen der Menschen zu Gott hin bewegen. Auch Gottes vergessene Sprache, der Traum, bringt tiefe Botschaften für unser Leben. Wir müssen nur wieder seine Bildersprache ein wenig lernen. So kommt die Wahrheit neu ans Licht. Wie setzen wir uns für die Wahrheit, Klarheit und Gerechtigkeit ein? Wo und wie suchen wir den Weg zu Gottes Gerechtigkeit in unserer Zeit und über die Zeit hinaus?
Sr. Ester Kaufmann und Pater Meinulf Blechschmidt haben uns eine Gestaltung der Feier dieser Legende geschenkt. Wir können wieder mit der Rahmengestaltung von Haus und Stadt beginnen. Die Verfasser weisen darauf hin, dass es am Anfang der Geschichte wichtig sei, ein Haus zu gestalten, die Hauserfahrung anzusprechen und zu wecken und besonders ein offenes und bergendes Haus zu verinnerlichen. Am Schluss sollte man das Haus kostbar werden lassen und es, wenigstens am Rand, mit goldenen Kugeln schmücken. Dieses Haus steht im Gegensatz zum Kerker und ist zugleich das des guten Bischofs Nikolaus.

GESTALTUNG

Material: Tücher: 1 (oder 4) braune für das Haus, 1–2 blaue, 1–2 grüne; dunkelfarbige Stoff- oder Kartonstreifen für ein Gitter; 3 Seile für Fesseln; kleine gebastelte Mitra; Teller mit Gebäck, Nüssen, etc...

In der Mitte liegt das Haus mit dem offenen Tor, worum die brennenden Lichter und die Zeichen der guten Begegnung stehen.

Wir wollen heute ein Fest feiern, das Fest eines heiligen und gerechten Mannes, der vielen Menschen Tore ins Leben geöffnet hat.

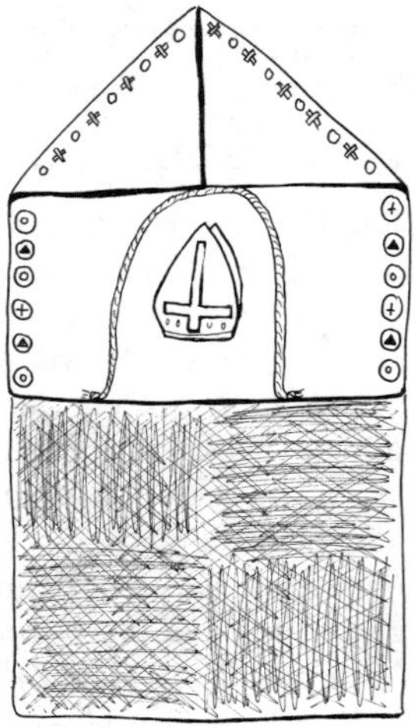

– *Eine Bischofsmütze (Mitra), aus Pappe gebastelt und entsprechend verziert, wird in das offene Haus gestellt.*

Wir feiern das Fest des hl. Bischofs Nikolaus.

LIED vom hl. Nikolaus

– *Unter dem Haus, am Fundament des Hauses, legen wir ein schwarzes Tuch an.*

Da ist etwas unter dem Haus. Wir gehen hinunter und kommen in den Keller.

– *Mehrere Streifen aus braunem Stoff oder auch aus dunkelgrauem Karton werden kreuzweise über das Tuch gelegt. Es wird vergittert.*

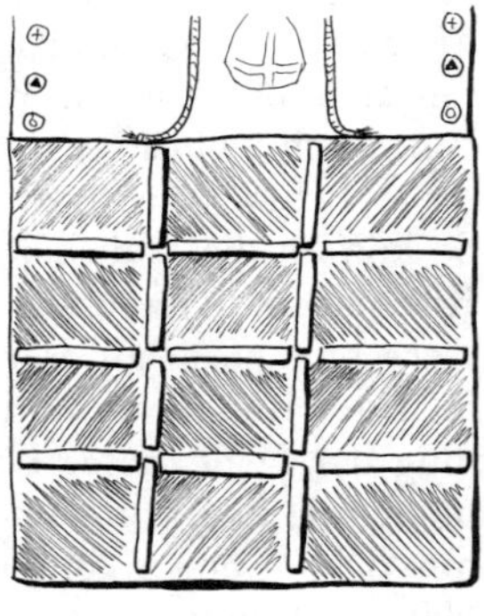

Wir schauen in unser Haus hinunter. Das scheint ein besonderer Keller zu sein. Was ist da unter dem Haus? Ein dunkler Raum vergittert – ist er ein Gefängnis?

– *Wir halten unsere Hände gekreuzt wie Gitterstäbe vor das Gesicht.*

Wir schauen durch Gitter in die Welt. Draußen sind die anderen Menschen, sie gehen, wohin sie wollen. – Wir können nicht zu ihnen. Draußen scheint die Sonne, sie kommt kaum in unser Gefängnis. Draußen lachen die Menschen – hier innen ist es still. Wir sind gefangen.

– *3 Seile werden jeweils geknotet und in das Gefängnis gelegt.*

Fesseln!

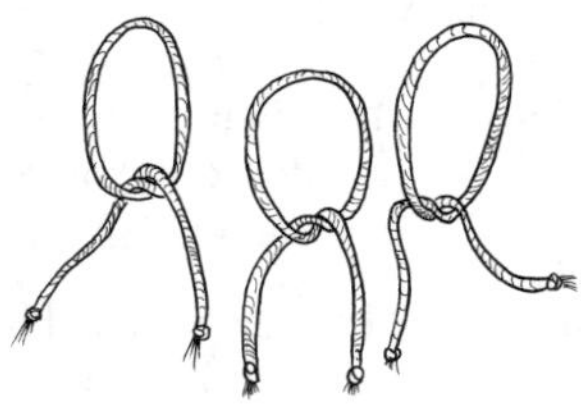

Wir denken an viele Menschen, die gefangen sind, im Gefängnis, hinter vergitterten Fenstern und hohen Mauern. Und manchmal sind da auch Menschen gefangen, die haben nichts Böses getan, sie sind unschuldig gefangen. Ihre Hände sind gebunden (Evtl. die Handgelenke einmal still übereinander legen: Ich bin gebunden, gefangen.)

ERZÄHLUNG

Es war vor langer Zeit, es war in der großen Stadt Konstantinopel. Diese Stadt hatte ihren Namen von dem Kaiser Konstantin, der mächtig war und weithin regierte. Er hatte ein großes Heer, viele Soldaten und Feldherren; er hatte Statthalter, die an seiner Stelle über Städte und Länder regierten und viel Macht hatten. Was sie sagten, das galt, und niemand konnte ihnen widersprechen.
Wenn die Menschen durch die Stadt gingen, staunten sie und sagten: Wie schön ist die Stadt unseres Kaisers Konstantin!
Doch ein Haus war dunkel, seine Fenster vergittert. Und tief unten im Keller lagen drei Gefangene, auf feuchten Stroh. Es waren drei Feldherren des Kaisers. Ein Statthalter hatte sie vor dem Kaiser angeklagt, obwohl sie unschuldig waren und nichts Böses getan hatten. Er wollte mächtiger sein und die drei beseitigen. Da saßen sie in der Tiefe, gefesselt.
Der eine fror in dem kalten Gefängnisloch.

- *Alle Kinder können sich die Arme reiben, wie man es tut, wenn es einen friert, und dabei auch sagen: „Wie kalt es ist. Mich friert!"*

Der andere klagte: „Mich hungert, ich sterbe vor Hunger, bringt uns niemand etwas zu essen?"

- *Gestik der ausgestreckten Hand: „Ich habe Hunger!"*

„Wir werden sterben," sagte der Dritte. Er war schon schwach geworden. „Hier kommen wir nicht mehr heraus. Die Sonne werden wir nie wieder sehen."

- *Gestik: Kopf und Arme hängen lassen, still.*

„Haben uns denn alle vergessen, all unsere Freunde?"

Da begann einer zu erzählen:

Vielleicht ist alles nur wie ein Traum, ein böser Traum. Und morgen werden wir erwachen und sind in einer schönen Stadt, weit weg in der Stadt Myra. Könnt ihr euch erinnern? Myra, die Stadt am Meer.

- *Alle spielen mit den Händen das Meer, die bewegten Wellen und das still da liegende Meer. Ein oder zwei blaue Tücher werden an das Gefängnis angelegt.*

  Wie warm die Sonne scheint!
  Mich friert nicht mehr.

- *Evtl. Spiel der aufgehenden Sonne. Sie sendet ihre Strahlen bis zur Erde.*

Seht ihr die grünen Hügel und die großen Bäume, die Schatten spenden?

- *Gestik für die großen Bäume. Zwei grüne Tücher werden ausgebreitet, die Landschaft am Meer.*

Die Häuser in der Sonne. Erinnert ihr euch? So viele kleine Häuser, freundliche Menschen gehen ein und aus. Und Kinder lachen auf der Straße.

Inmitten der Stadt wohnt der Bischof Nikolaus. Ein guter Bischof, ein gerechter Mann. Viele sagen von ihm: „Bischof Nikolaus ist ein heiliger Mann, ein gerechter Mann. Er kann helfen, er hat schon vielen geholfen."

Da richtete sich plötzlich der dritte Feldherr auf, neue Kraft kam in seine Arme, ein Licht in seine Augen: „Lasst uns zu Bischof Nikolaus beten. Er kann helfen. Er wird uns helfen."

Im dunklen Gefängnis, wo es sonst so totenstill war oder nur das Jammern und Klagen der Gefangenen hallte, hörte man auf einmal Stimmen, erst zaghaft, dann immer mächtiger. Die drei Gefangenen beteten:

Die Kinder können Ruf für Ruf nachrufen.

„Bischof Nikolaus, sieh unsere Not! –
Wir sind unschuldig hier. –
Komm uns zu Hilfe, –
befreie uns, –
löse unsere Ketten! –
Hilf uns! –
Bitte Gott, den Allmächtigen, für uns! –
Sie beteten lange und mit ganzen Herzen, bis zum Abend.

In der Nacht hörten sie plötzlich Geräusche, schwere Schritte, die näher kamen, Rasseln von Ketten und Türschlössern. Die Tür wurde geöffnet, das Licht von zwei Fackeln zuckte durch den Raum. Die Gefängniswärter und Knechte kamen herein. Sie sagten kein Wort. Die Gefangenen bekamen Todesangst. Schweigend lösten die Knechte den drei Gefangenen die Fesseln,

- *Die Fesseln im Gefängnis werden aufgeknotet.*

winkten ihnen zu folgen und gingen mit den Fackeln voran, durch viele Türen und lange Gänge, durch die Nacht und schließlich in den Palast des Kaisers.

Da standen die drei gefangenen Feldherren vor dem Kaiser. Der saß da und fragte kurz: „Wie heißt der Bischof von Myra? Kennt ihr ihn?"

– *Vielleicht könnte der Erzähler die Kinder anschauen und sie die Antwort geben lassen*

„Nikolaus, Bischof Nikolaus“, riefen sie. Der Kaiser erschrak. Er schaute still und blaß vor sich hin. „Ich hatte einen Traum. Ich schlief, und dann kam ein Mann auf mich zu. Er hatte eine Bischofsmütze auf, einen Hirtenstab in der Hand. Er stieß mich an und weckte mich. Er rief mir ins Ohr: Kaiser Konstantin, in deinem Gefängnis liegen drei unschuldige Feldherren. Lass sie frei, sonst wirst du zum Mörder!

Wer bist du? fragte ich. Ich bin Bischof Nikolaus aus Myra. Gott hat mich zu dir gesandt.“
Der Kaiser schwieg. Nach einer Weile richtete er sich auf und sagte: „Ihr Feldherren seid unschuldig. Geht! Ihr seid frei.! Fahrt nach Myra, und sagt dem Bischof Nikolaus, er soll für mich beten, damit ich ein gerechter Kaiser bin und vor Gottes Augen das Rechte tue.“

Die Feldherren verneigten sich tief vor dem Kaiser und wussten nicht wie ihnen geschah. Als sie aus dem Palast traten, begann die Sonne aufzugehen. Sie hörten die Vögel zwitschern. Die Luft roch nach Wasser vom Hafen. Sie streckten ihre Hände zum Himmel

– *Auch die Kinder können ihre Hände hochstrecken*

und lobten Gott: „Guter Gott, du hast den Bischof Nikolaus gesandt, uns zu befreien. Wir danken dir!“

LIED Sankt Nikolaus ist ein guter Mann

– *Über das dunkle Haus, das Gefängnis, wird ein helles Tuch gebreitet. Darauf kann ein Teller gestellt werden, gefüllt mit Lebkuchen, Äpfeln, Nüssen, die alle miteinander teilen und essen.*

DIE DREI GOLDENEN KUGELN

ZUM NACHDENKEN

„Unsere Kinder sollen es besser haben", sagen viele Eltern, die mit Sorgen auf die Zukunft der Kinder und Jugendlichen in der heutigen Gesellschaft schauen. Aber tun sie dann auch für diese Kinder und Jugendlichen das Beste? Beziehen sich viele Sorgen nicht nur auf den materiellen Lebensstandard und sparen die inneren Probleme aus? Manche Eltern in den Entwicklungsländern fehlt es oft an der notwendigen materiellen Grundlage. Sie befinden sich in einer ähnlichen Situation wie der Vater in dieser Geschichte: Auch sie verkaufen ihre Kinder, damit sie überhaupt Überlebenschancen haben. So gibt es immer noch Sklavenhandel. Manche in unserer Gesellschaft opfern Kinder und Jugendliche ihren eigenen Wünschen, Vorstellungen und Ansprüchen. Müssen wir nicht sensibler und auch realistischer schauen und hören, womit wir notwendigerweise unsere Kinder und Jugendlichen ausstatten sollen und können, damit sie nicht nur überleben, sondern gut und zufrieden leben lernen. Nikolaus ist diesen Weg gegangen. Er sagte: Gott ist ein realistischer Gott. Er hat diese Realität gemacht. Wir können ihm nur realistisch begegnen.

GESTALTUNG

Material: für jedes Kind ein Rhythmiktuch für ein Haus, 3 goldene Kugeln, Material zum Schmücken der Häuser, helles Tuch für die Kirche in der Mitte, eine Kerze, Blumen, Holzstäbe für die Wege zur Mitte.

Wir beginnen wieder mit der Rahmengestaltung und lassen Erfahrungen über Haus und Stadt lebendig werden.

Wir versammeln uns im Kreis. Wir können die Augen schließen und uns ein Haus vorstellen. Die Kinder können die Augen öffnen und von ihrem Haus erzählen. Mit Kleineren singen wir: Wer will lustige Handwerker sehn ... Mit Gesten bauen wir ein Haus: Wir setzen uns gerade auf den Stuhl.

Die Füße stehen am Boden. Wir wollen horchen und mit unserm Leib, mit unseren Händen mitspielen:

Ein Haus steht fest auf der Erde. Es braucht einen festen Grund, auf dem es steht. Die Mauern müssen aufrecht sein, nicht krumm und buckelig, sonst fällt das Haus zusammen. Über das Haus spannt sich das Dach.

Es schützt die Menschen im Haus.
Ein Haus braucht Fenster, wo man hinein- und hinausschauen kann.
Ein Haus braucht Türen zum Aufmachen und zum Zumachen.
Wir können hinaus- und hineingehen.
Wir können die Türen schließen und für uns allein sein.
Wir können sie öffnen und andere einladen.
Wir können aus unseren Häusern herauskommen.
Wir können bei unserm Nachbarn anklopfen. Ganz leicht, dass er nicht erschrickt.
Wir wollen füreinander die Türen aufmachen und uns die Hände geben.
Wir wohnen Tür an Tür und sind nicht allein. Gott sei Dank.

Kinder legen wieder mit Tüchern vor ihren Stuhl ein Haus. Sie können ein kostbares Zeichen in das Haus legen. Eine kostbare Stadt entsteht. In unserer Geschichte ist es Myra.
Wir suchen die Mitte und legen dort das helle Haus, wo Bischof Nikolaus mit den Menschen der Stadt feiert. Wir zünden eine Kerze an und stellen sie in die Kirche.

Auch die Erzieherin hat vor sich ein Haus gelegt. Sie erzählt nun, was in diesem Haus geschieht und was das mit dem Haus in der Mitte zu tun hat.

Die Kinder legen mit Holzstäbchen einen Weg von ihrem Haus zur Mitte.

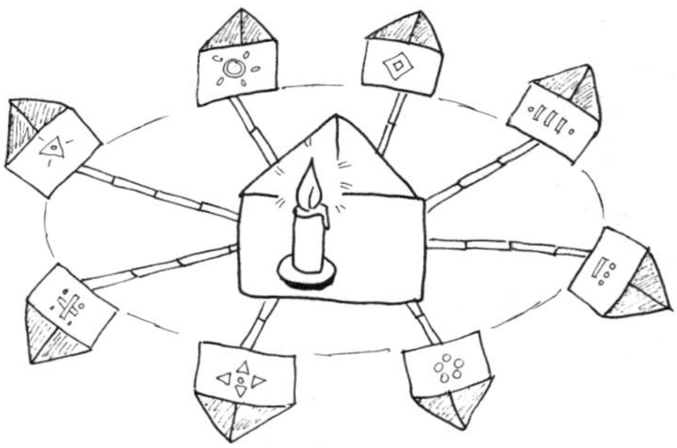

ERZÄHLUNG:

Franz Kett hat uns diese Erzählung kindgemäß aufgeschrieben.

Myra heißt unsere Stadt, eine alte Stadt, eine Stadt am Meer mit einem Hafen, wo Schiffe einlaufen, ankern aus und wieder hinausfahren aufs weite Meer. Die Häuser der Stadt sind mehr oder weniger prächtig, größer oder kleiner, je nachdem, wie es sich die Leute, die sie bewohnen, leisten können.

In einem kleinen Haus, mehr am Stadtrand, wohnt Antonio mit seiner Frau und drei Kindern. Drei Mädchen sind es, mit den Namen Antonia, Josefa, Martina.

Antonio liebt seine Familie. Er sorgt für sie. Jeden Tag geht er auf den Marktplatz der Stadt Myra und ruft aus: „Ich suche Arbeit! Ich suche Arbeit!" Wenn er Glück hat, kommt einer, einer von den Reichen der Stadt und sagt: „Antonio, ein Schiff ist im Hafen gelandet, mit Fässern voll guten Weines. Trag sie zu mir in mein Haus!" Da freut sich Antonio. Jetzt hat er Arbeit und er schleppt den ganzen Tag die schweren Fässer in die Stadt. Vielleicht sagt ein andermal einer: „Antonio, ein Schiff mit Getreide ist in den Hafen eingelaufen. Fass das Getreide in Säcke und bring sie mir ins Haus." Und wieder tut Antonio seine Arbeit und trägt Sack für Sack in den Vorratskeller des Reichen. Ist dann der Abend gekommen, die Arbeit getan, streckt Antonio die Hand aus. Er bittet um Lohn für seine Mühen. Er bittet um den Lohn für den Tag, den Tageslohn. Antonio ist ein Taglöhner. Auf dem Weg nach Hause kauft Antonio dann von seinem Lohn ein: Brot, Käse, Obst, vielleicht eine Flasche Wein. Für ein paar Tage wird seine Familie wieder satt.
Da geschieht es, dass eines Tages Antonio krankt wird. Er hat Fieber und Husten. Wenn er atmet, pfeift und sticht es in der Lunge. Antonio hat Lungenentzündung. Er kann nicht zum Marktplatz gehen und nach Arbeit rufen. Ohne Arbeit aber gibt es keinen Lohn. Er kann das tägliche Brot nicht verdienen. Bald sind alle Vorräte aufgebraucht und Hunger zieht in das Haus. Die Kinder weinen, klagen. Sie rufen:

Wir haben kein Brot!
Wir leiden Not!
Wer hilft uns denn?

Aber Hilfe ist nicht in Sicht. Die Nachbarn sagen, wir haben selbst nicht das Lebensnotwendige. Hilf dir selbst, dann hilft dir Gott.
Da gibt es nun in der Stadt, am Hafen, einen Wirt. Er wollte schon immer eines der Mädchen des Antonio haben, für seine Kneipe, seine Wirtschaft. Jetzt kommt er, in der Hand einen Beutel mit Gold. „Antonio", ruft er, „sieh das Gold. Ich geb es dir, wenn du mir eines deiner Kinder verkaufst?" Antonio ist entsetzt. Er ist empört. Er soll eines seiner Kinder verkaufen?

„Meine Kinder verkaufe ich nicht", ruft er, „geh nur wieder fort!" „Schön", spricht der Wirt, „morgen sehen wir wieder, wenn es dir schlechter geht." Und er geht fort. Der Tag vergeht. Es wird Abend. Es ist nichts zu essen da. Die Not steigt. Der Bauch tut weh. Die Kinder rufen in ihrer Not:

Wir haben kein Brot!
Wir leiden Not!
Wer hilft uns denn?

Und als es morgen wird, ein neuer Tag kommt, erscheint auch wieder der Wirt. Er tritt ins Haus. „Ha", sagt er, „wie geht es?" Er schwenkt seinen Beutel mit Gold. Antonio weiß nicht mehr aus noch ein. Was soll er tun? Wenn er nicht eines seiner Kinder verkauft, müssen sie alle drei und die Frau und er selbst an Hunger sterben. „Komm morgen wieder," sagt Antonio, „ich will es mir noch überlegen". Und dieser Tag ist schrecklicher als die anderen. Die Nacht kommt. Kein Brot ist im Haus, nur Hunger, nichts als Hunger. Die Kinder rufen und weinen:

Wir haben kein Brot!
Wir leiden Not!
Wer hilft uns denn?

Sie haben Hunger und Angst vor dem Morgen. Wen wird der Wirt mitnehmen, wenn er wieder kommt?
In dieser Nacht geht Nikolaus durch die Straßen der Stadt. Nikolaus, der Bischof der Stadt Myra. Er ist ein Bischof mit einem großen und weiten Herzen. Er geht zu den Armen der Stadt, zu den Kranken und Sterbenden. Er will Brot bringen und Trost. Er kommt auch am Haus des Antonio vorbei. Er hört das Klagen und Bitten. Er weiß, hier kann ich nicht vorübergehen. Hier muss ich helfen. So bleibt er stehen, holt aus seinem Sack drei goldene Kugeln und legt sie vor der Haustür ab. Still zieht er weiter. Andere warten auf ihn. Und dann kommt der neue Morgen. Die Mädchen schauen mit Angst aus dem Fenster. Wann wird er kommen, der Wirt von der Hafenkneipe? Da sehen sie Gold! Drei goldene Kugeln liegen vor ihrer Tür. Sie können es kaum fassen. Es ist wundervoll. Sie lachen und weinen in einem. Ihre Not ist vorbei. Sie laufen in das Haus, wo sie Gott danken. Blumen nehmen sie mit. Und dann singen und tanzen sie.

Die Erzieherin lässt die Kirche mit Blumen schmücken. Dann können alle ein Loblied singen und tanzen: z. B. Lasset uns gemeinsam singen, loben, danken dem Herrn....

Nun finden sie auch den, der ihnen geholfen hat. Es war der Bischof Nikolaus.

Nikolaus tritt ein und grüßt die Kinder dieser Stadt.

Auch die Kinder grüßen ihn mit einem Lied.

Nikolaus erzählt von Gottes Liebe, die jedem hilft und keinen im Stich lässt. Die Menschen sollen diese Liebe weitergeben. Dann wird das Leben zu einem Fest. Das wollen wir feiern.

Nikolaus betet:

> Lieber Gott!
> Gib uns Ohren, die hören und Augen, die sehen.
> Gib uns offene Hände und ein gutes Herz, andere zu verstehn.
> Gib uns Mut, unsere Wege zu gehen und uns auf dem Weg zu helfen.
> Dann bist du mitten unter uns. Amen.

Nikolaus wünscht jedem Kind an seinem Haus Gutes. Er beschenkt es mit Äpfeln und Nüssen. Dann setzt sich Nikolaus zu den Kindern und isst mit ihnen. Dabei kann uns Musik begleiten; Lieder und Gedichte können uns helfen, das Fest fröhlich zu gestalten. Lasst uns froh und munter sein....

DAS STEINERNE HERZ

ZUM NACHDENKEN

Ist es nicht in einer kapitalistischen Gesellschaft so, dass sich vieles um das Kapital dreht. Unsere lebendige Welt, die Natur, Artenvielfalt der Vegetation, der Umgang mit Tieren, die äußere Natur, aber auch unser inneres Gefühlsleben werden oft vernachlässigt. Vieles dreht sich um das „Goldene Kalb". Es gibt viele goldene Kälber heute: Geld, Macht und Ansehen, Luxus, Autos, Häuser, Schönheit, Essen und Trinken ... Manchmal merken wir gar nicht, wie sich unser ganzes Leben immer mehr um diese Dinge dreht. Vertrauen, Liebe und Hoffnung ... werden immer schwächer. Dagegen steigen Ängste und Depressionen, Zwangsneurosen nehmen zu, immer weniger Verpflichtungen und Bindungen werden eingegangen. Körpertherapeuten wissen zu berichten, was unseren Körper, die Seele und den Geist wieder lockerer und durchlässiger werden ließe. Wie wird unser Körper, unsere Umwelt wieder mehr ein Be-reich des Lebens. Der Hl. Nikolaus versuchte, die Hart-herzigkeit durch einen Akt der Befreiung zu lösen: Gib, so wird dir gegeben. Er steht damit in der Tradition Jesu und im Willen Gottes. Wo stehen wir? Wo möchten wir stehen?

GESTALTUNG

Material: Tücher für Häuser, helles Tuch für Kirche, Kerze, Blumen, Holzstäbe für Wege zur Mitte, ein größerer, schwerer Stein, ein samtenes Herz oder Herz aus Wachs, Teelichter für jedes Kind, Material zum Schmücken.

Wieder beginnen wir mit der Rahmengestaltung. Wir versammeln uns im Kreis, schließen den Kreis und geben uns die Hand. Wir bauen Häuser, gestalten das Gotteshaus in der Mitte und suchen Wege. Das Haus der Erzieherin ist das Haus, in dem die heutige Geschichte vom steinharten Herzen spielt.

Wir geben einen größeren, schweren Stein im Kreis weiter. Jeder erspürt, wie hart, schwer und kalt er ist. Den Stein legen wir in das Geschichtenhaus. Die Erzählung beginnt.

ERZÄHLUNG (von Franz Kett aufgeschrieben):

In diesem Haus wohnt ein Mensch, Avarrizzo heißt er, der ist so hart wie Stein. Er hat ein Herz aus Stein, sagen die Menschen. Wie ist es dazu gekommen?

Avarrizzo denkt sich: Ich will der Allergrößte sein, der Allerreichste, der Allererste,...

Die Kinder werden angeleitet zu sagen, was Avarrizzo noch denken könnte.

Avarrizzo muss ganz viel haben, viel besitzen, immer festhalten...

Die Kinder werden angeleitet zu zeigen, was Avarrizzo mit seinen Händen machen könnte bei: fassen, ergreifen, nehmen, haben wollen, immer mehr, fest-halten, raffen, be-sitzen, kein anderer bekommt etwas, alles für mich...

So hat es Avarrizzo getan.

Eines Tages hört Avarrizzo eine Stimme. Woher kommt sie, von außen, von innen, aus ihm selbst? Hört er sie im Wachsein, im Traum?
Was flüstert die Stimme?
„Avarrizzo, ich mache dich zum reichsten, zum mächtigsten Menschen in der Stadt, ja im ganzen Land. Willst du“?
„Ja, ja“, antwortete Avarrizzo, „nichts lieber als das.“
„Gut“, hört Avarrizzo die Stimme sprechen. „Es kostet dies natürlich auch etwas. Es kostet dich dein menschliches Herz. Gib es mir, ich gebe dir dafür ein Herz aus Stein. Dieses Herz übersieht alle Tränen der Menschen. Nichts kann es mehr rühren, keine Not, kein Elend, keine Bitte. Es ist stark – ellenbogenstark, dieses Herz. Mit ihm kannst du über Leichen gehen und dir alles nehmen, was du willst. Bist du einverstanden mit unserem Tausch?“
Avarrizzo, dessen Herz schon lange hart geworden war, braucht nicht zu überlegen. „Nichts wie her“, sagt er. Und so verliert er sein menschliches Herz, tauscht er es gegen ein Herz aus Stein. Und von nun an kennt er keine Schranken mehr. Er nimmt sich, was er kann. Er nimmt selbst von denen, die nichts haben, den Armen. Er nimmt erbarmungslos. Seinen Arbeitern zahlt er einen Hungerlohn. Bettler jagt er von der Tür. Hunde, Katzen, die sich an ihn schmiegen wollen, gibt er einen Fußtritt. Er wirft mit Steinen nach ihnen. Seine Frau, seine Kinder fürchten sich vor ihm. Er kennt nur noch eines: Geld, Geld, Geld! Besitz, Besitz, Besitz! Macht, Macht, Macht!

T+M: Franz Kett

So klingt es manchmal nachts im Haus des Avarrizzo, oder ist es draußen auf der Straße? Wenn Avarrizzo dann die Tür aufmacht, ist niemand da. Er kann niemandem einen Stein nachwerfen. Avarrizzo ärgert sich dann. Er ist allein, ganz allein. Er kann nicht einmal mit einem Menschen streiten.
Bischof Nikolaus kennt die Menschen in seiner Stadt, die Großen, die Kleinen; die Alten, die Jungen; die Reichen, die Armen. Er kennt ihre Freuden, ihre Not. Sein Herz weiß vieles. Er kann in die Herzen der Menschen hineinschauen. Nikolaus kennt auch das steinerne Herz des Avarrizzo und denkt:

Der Mann ist so reich – und doch so arm.

Er ist ein Mensch und doch – so unmenschlich.

Niemand liebt ihn. Er lebt mit allen im Streit.

Er hat keinen Frieden. Es fehlt ihm die Liebe.

Und Nikolaus erinnert sich an das Wort im Gottesbuch:
DIE LIEBE GOTTES IST AUSGEGOSSEN IN EURE HERZEN.

Nikolaus will Avarrizzo die Liebe Gottes bringen, wie es Jesus getan hat. Auch in Avarrizzo soll die Liebe Gottes ausgegossen sein. So geht der Bischof Nikolaus eines Tages zum Haus des Avarrizzo, klopft an dessen Türe an. Wie Avarrizzo die Türe öffnet, mit einem Fluch auf den Lippen, blickt ihn Nikolaus einfach ganz offen an, voller Liebe. Er öffnet die Arme, geht auf Avarrizzo zu, umarmt ihn und sagt: „Die Liebe Gottes ist ausgegossen in deinem Herzen."

Kinder werden geführt:
Kannst du zeigen, wie wohl Nikolaus den Avarrizzo begrüßt hat?

Darauf ist Avarrizzo gar nicht vorbereitet. Dies hat er ganz und gar nicht erwartet. Der Gruß trifft selbst sein kaltes Herz. Ja, die Liebe, die fehlt mir, denkt er. Ich habe keine Liebe und niemand liebt mich.
„Wo kann ich die Liebe kaufen", fragt Avarrizzo den Bischof. „Sie fehlt mir. Ich zahle dafür einen guten Preis."
„Die Liebe lässt sich nicht kaufen", antwortete der Bischof. „Die Liebe musst du tun. Ich helfe dir dabei, wenn du willst."
Und Avarrizzo, der so reich ist, alles besitzt, bloß nicht die Liebe, will.
Der Bischof setzt sich mit Avarrizzo an einen Tisch und überlegt mit ihm, wie die Liebe in sein Herz kommen und es verwandeln kann.

Kinder werden aufgefordert, gleich dem Bischof Nikolaus, an seiner Stelle dem Avarrizzo zu sagen, was er zu tun hat. Wer etwas weiß, entzündet ein Licht, stellt es ins Haus des Avarrizzo und macht seinen Vorschlag.

Avarrizzo beginnt, dies und jenes zu tun. Es zerreißt ihm fast das Herz. Aber so ist es halt am Anfang, wenn etwas Hartes weich werden, schmelzen soll. Da kracht und klirrt es und es braucht viel Zeit. Allmählich aber verwandelt sein Mühen um das Gute, um die Liebe und den Frieden doch sein Herz, sein Haus. Es wird darin hell und warm. Und dann ist es eines Tages geschehen: Das steinerne Herz ist geschmolzen und in Avarrizzo schlägt wieder ein lebendiges, weiches, liebendes Herz.

Der Stein wird aus dem Haus genommen und durch ein großes, leuchtendes Wachsherz oder Samtherz ersetzt.

Sein Besitz und sein Reichtum schmilzt auch dahin. Dafür aber erlebt er die Freude der beschenkten Menschen. Seine Arbeiter achten ihn. Frau und Kinder müssen ihn nicht mehr fürchten. Auch die Tiere, Katze und Hund laufen nicht mehr vor ihm davon, sondern schmiegen sich an ihn. Er selbst kann wieder fühlen, Freude und Schmerz, die Liebe. In sein Herz zieht der Friede ein. Er ist, wie man sagt, mit Gott und der Welt, vor allem mit sich, zufrieden und versöhnt.

St. Nikolaus hat mit seinem weiten, guten Herzen das steinerne Herz eines Menschen verwandelt, es menschlich gemacht.

Die Kinder werden motiviert, für den Besuch des Bischofs Nikolaus ihr Haus zu schmücken. Kleine Zweige, Zapfen, Kastanien, Nüsse, Bucheckern, ...liegen bereit.

Das Erwarten des Nikolausbesuches können wir mit einem Lied ausdrücken, z.B. Lasst uns froh und munter sein.

Nikolaus tritt ein, grüßt die Kinder. Er tritt in den Kreis und beschaut die Häuser der Stadt, besonders das Haus des Avarrizzo. Er fragt die Kinder, was in diesem Haus geschehen sei und lässt sich die Geschichte von den Kindern erzählen. Wissen sie auch den wichtigen Satz aus dem Gottesbuch?

Nikolaus sagt, dass Gott einem jeden ein warmes, helles und mitfühlendes Herz schenken möchte. Deshalb bringe er, Nikolaus, Geschenke, damit alle sehen und kosten, wie gut Gott ist.

Der Nikolaus betet mit dem Kindern. Er beschenkt sie und legt die Gaben in ihr Haus. Er gibt den Kindern die Hand und spricht mit ihnen. Dann setzt er sich und isst mit ihnen. Wir singen und tanzen gemeinsam.

DAS TEPPICHWUNDER

ZUM NACHDENKEN:

Kein Menschenleben beginnt am Nullpunkt. Wir werden alle hineingeboren in eine bestimmte Zeit, in eine Nation, in eine Stadt, in eine Familie mit diesem Vater und dieser Mutter, den Geschwistern, Verwandten und Freunden. So entwickelt sich eine eigene Geschichte aus früheren Prägungen und heute notwendigen Bedingungen zum Leben. Von Anfang an ist unser Dasein in der Tiefe allen Lebens verknüpft. Die germanische Mythologie spricht von Nornen, die in der Tiefe die Schicksalsfäden knüpfen. Die Bibel nennt dies Erbsünde und meint, dass wir mit eben diesen Genen, den Fähigkeiten und Behinderungen körperlicher, seelischer und geistiger Art auf die Welt kommen. Sie spricht von Sünde, denn ein Teil von uns ist immer vom großen Ganzen abge-sondert, da ist immer ein Mangel, der uns trennt von der Fülle glücklichen Lebens. Durch prägende Erziehung und der eigenen Freiheit, mit Schwierigkeiten und Mängeln des Lebens umzugehen, ent-wickeln sich bestimmte Verhaltensmuster, entstehen helle und dunkle Seiten, Farben und Formen, wie in einem Teppich. Diesen verwobenen Lebensteppich kann man nicht so einfach verkaufen oder wegwerfen. Der Hl. Nikolaus zeigt, dass uns Gott dieses Leben auch als Chance zu einer immer neuen Gestaltung schenkt. Wie gehen wir mit diesem Geschenk um?

GESTALTUNG

Material: Wollknäuel oder Knäuel aus Stoffstreifen, helles Tuch für Kirche, Tücher für Häuser, Kerze, Teelichter, ein kleiner, schön gewebter Teppich, evtl. kleine Teppiche von Kindern gewebt,

Eine längere Zeit vor der Geschichte hat die Erzieherin mit den Kindern Teppiche geknüpft. Es gibt kleine Webrahmen zu kaufen. Man kann sich auch Webrahmen selbst basteln aus Ästen, Bambusstäben oder einem Schuhkarton. Beim Sperrmüll oder in der Garage finden wir manchmal alte Fahrräder. Wenn man ihre Speichen entfernt bleibt ein guter Webrahmen für einen runden Teppich. Eine Erzieherin hat einen runden Teppich mit der Gruppe als Gruppenarbeit gewebt. Jedes Kind durfte ein Stück einweben und wurde so mit der ganzen Gruppe verknüpft und verwoben.

Wer zur Gestaltung keinen einfachen Wollknäuel nehmen möchte, kann auch Stoffstreifen (etwa 3 cm breit) schneiden und zusammennähen wie man es für die Anfertigung eines Fleckerlteppichs tut. Diese Stoffstreifen bleiben bei einer Gestaltung auf Holzboden oder Linoleum besser liegen.

Anbandeln – Verknüpfen – Verbunden-Sein

Die Kinder treffen sich und stellen sich im Kreis. Wir sind wie... (Sonne, Mond, Sterne, eine Blume, ein Zirkuszelt, ...)

> Erzieherin:
> Um all das geht es heute. Alles gehört zusammen. Alles ist miteinander verknüpft.

Die Kinder knien sich hin.

> Auch wir sind einer mit dem andern verbunden.

Die Erzieherin rollt einen Wollknäuel oder Stoffstreifenknäuel von sich zum Nachbarkind rechts. So rollt das Knäuel zunächst im Kreis. Die Kinder müssen mit einer Hand rollen, mit der anderen den Faden leicht festhalten. Dann rollen die Kinder das Knäuel quer durch den Kreis zu einem Kind ihrer Wahl. Die Erzieherin passt auf und hilft, wenn das Knäuel in der Mitte hängen bleiben sollte. So ist es auch im Leben: Wenn mal jemand „hängen bleibt", braucht er Hilfe. Wenn alle miteinander verbunden sind, kommen wir zum Ende. Wir können dabei oder danach die erste Strophe des Liedes singen „Lebensfäden weben" und/oder den Teppichknüpfertanz aus den „Kindertänzen" (Fidula Verlag) tanzen.

> Wir sind jetzt hier miteinander verbunden. Mit wem sind wir denn im Leben noch verbunden? ... Alles ist in diesem Leben miteinander verbunden.

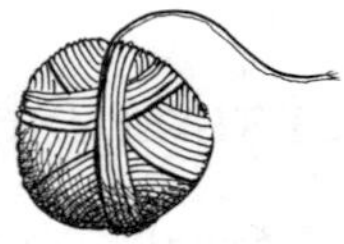

Wir stehen noch einmal auf und reichen uns die Hand.

> Wenn Menschen miteinander verbunden sind, dann halten sie fest zusammen, dann stehen sie fest zusammen und zueinander, dann hören sie aufeinander und gehören zusammen, dann fühlen sie sich richtig zu Hause.

Kinder setzen sich auf ihre Stühle im Stuhlkreis.

> Wenn Menschen verknüpft, verbunden sind, dann, so sagt man, können sie aufeinander bauen. Früher haben die Menschen, wenn sie eine Stadt gebaut haben und miteinander verbunden waren, zuerst die Mitte der Stadt gesucht und angefangen, ein großes, helles Haus zu bauen, ein Haus für Gott. Sie wussten: Wir können uns einer auf den andern verlassen, wir können aufeinander bauen, aber wir können uns alle zusammen auch auf den verlassen, der uns das Leben geschenkt hat und es in seinen Händen hält: auf den guten Gott.

Verbunden im Kreis und hin zur Mitte

In die Mitte des Netzes wird ein helles Tuch als Haus Gottes, als Kirche gestaltet; vorsichtig, dass die Verbindungen nicht zerstört werden.

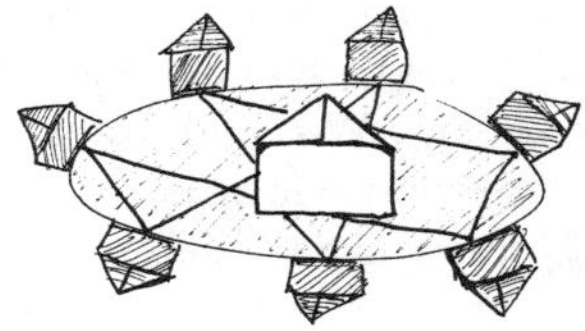

Um die Mitte bauten die Menschen ihre Wohnhäuser.

Jedes Kind legt mit einem Tuch ein Haus an seinen äußeren Anknüpfungspunkt des Netzes.

Jeden Tag kamen die Menschen aus ihren Häusern und gingen in das große Haus in der Mitte. Sie zündeten ein Licht, eine Kerze an zum Zeichen: Gott ist da!

Eine Kerze wird entzündet und in die Kirche gestellt.

Dann lobten sie ihn, klagten ihm ihr Leid, aßen miteinander, sangen und tanzten. Sie erzählten sich voneinander und teilten Freude und Leid.

Legende vom Teppichwunder hören

Eines Tages hörten sie von
zwei alten Leuten der Stadt die Geschichte ihres Teppichs.

Ein schöner, kleiner gewebter Teppich wird in die Kirche gelegt.

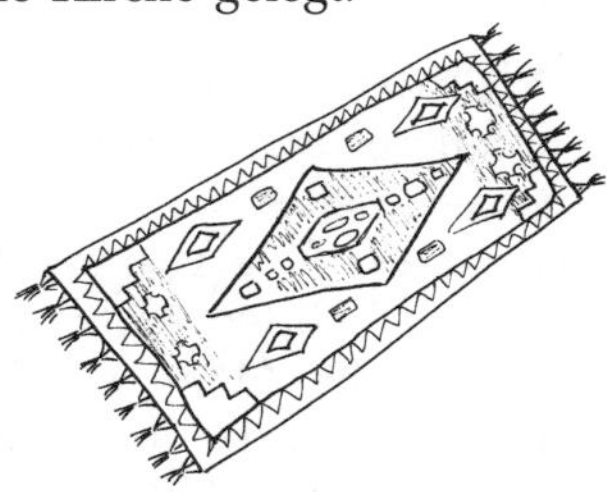

Diesen Teppich hatten sie als Geschenk zu ihrer Hochzeit bekommen. Er machte ihnen große Freude. Oft schauten sie die Farben und Formen an und sagten: So ist unser Leben. Wie die Fäden dieses Teppichs, so sind wir miteinander verbunden und mit vielen anderen Menschen, mit den Blumen und den Tieren, mit Sonne, Mond und Sternen, mit...
Und wie es helle und dunkle Stellen im Teppich gibt, so gibt es auch in unserem Leben Helles und Dunkles, Tag und Nacht, aber auch Freude und Leid. Was haben wir schon alles erlebt in diesem Leben, sagten sie. Manchmal war der Faden sehr dünn und wollte reißen. Manchmal ist er gerissen und wir haben ihn wieder mühsam und vorsichtig verknüpfen müssen. Manchmal ging uns das Weben im Leben gut von der Hand.

Manchmal war es sehr schwer. Wir hatten keine Lust und manchmal auch keine Kraft mehr. ... So erzählten die alten Leute und gerade die jungen horchten aufmerksam zu. Dann erzählten sie weiter. Wir sind alt geworden. Die Kinder sind schon groß und gingen aus dem Haus. Jetzt sind wir allein. Wir sind krank und gebrechlich und können nicht mehr viel tun. So sind wir arm geworden. Jetzt haben wir nichts mehr zum Leben. Wir müssen das Liebste verkaufen, was wir haben: unseren Teppich. Gleich am nächsten Tag wollte der alte Mann zum Markt gehen und seinen Teppich anbieten.

Alle gingen traurig und nachdenklich nach Hause. Der nächste Tag begann. Der alte Mann war schon früh auf den Beinen. Seinen Teppich hatte er unter den Arm geklemmt. Er wollte zum Marktplatz. Es war kalt. Da kam ein alter Händler, tief eingehüllt in seinen Mantel, den Pelz in die Stirn gezogen. Er bot dem Alten eine hohe Summe Geldes für seinen alten, abgetretenen Teppich. Der alte Mann freute sich und verkaufte. Er dachte: Nun kann ich Essen kaufen, und meine Frau und ich werden lange Zeit gut weiterleben können. Vor lauter Freude trank er ein Glas Wein beim Wirt. Als er nach Hause kam, empfing ihn seine Frau voller Freude. Sie erzählte ihm: Denk dir, Mann, ein alter Händler war hier, fest gehüllt in seinen Mantel, den Pelz tief im Gesicht, und er brachte mir ein Geschenk. Schau nur, Mann, sagte die alte Frau. Und sie zeigte ihm den alten, geliebten Teppich, der sie ihr ganzes Leben in Freude und Leid begleitet hatte. Als die beiden sich an die Augen des Händlers erinnerten, erkannten sie ihn. Es war Nikolaus, der Bischof ihrer Stadt. Sie luden ihn öfter in ihr Haus. Und er kam gern. Sie erkannten ihn schon am Klopfen.

Nikolaus klopft und betritt das Zimmer. Er grüßt die Kinder und sagt:

Ich habe ein wenig gelauscht. Ich kann mich gut an die alten Menschen erinnern. Sie hatten wenig. Aber sie teilten mit allen Menschen immer, was sie hatten. So waren sie geliebt von allen, vor allem von den Kindern. Sie waren wie Großmutter und Großvater der ganzen Stadt. Sie hatten Zeit und hörten zu. Sie trösteten und machten Mut. Sie lachten und weinten mit den Menschen. Es war immer freundlich und hell in ihrem Haus. Und jedem, der ihre Geschichte hörte, ging ein Licht auf, und es wurde hell in seinem Herzen und in seinem Haus.

Jedes Kind bekommt ein brennendes Teelicht und stellt es in sein Haus. Wenn jedes Kind einen kleinen Teppich gewebt hat, dann hat die Erzieherin die Kinderteppiche auf einem Tablett oder in einer kostbaren Truhe und verteilt sie an die Kinder, die sie in ihr Haus legen. Die Kinder können später auch die Teppiche ihren Eltern zum Zeichen der Verbundenheit und Liebe schenken... Nikolaus spricht noch ein Gebet:

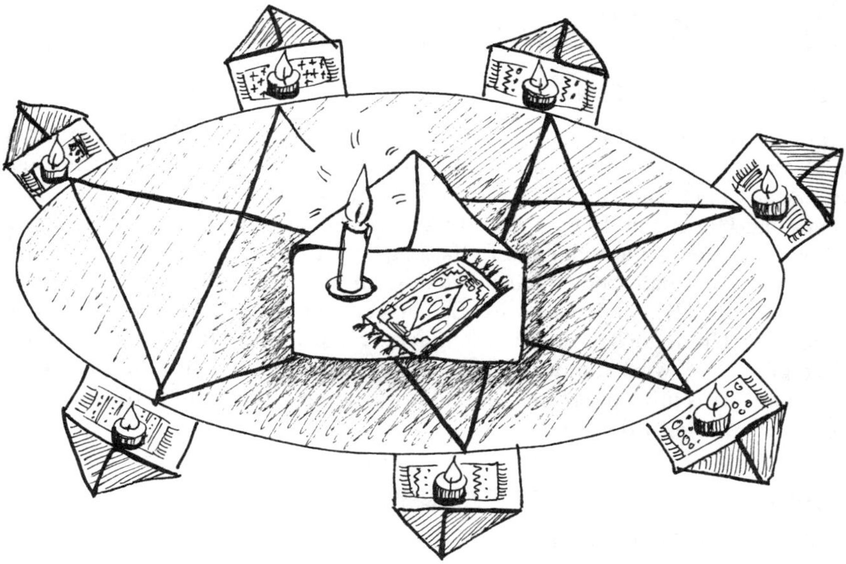

Gebet:

Guter Gott! Du hast uns das Leben geschenkt, unsere Eltern haben es von dir empfangen. Du hast unsere Eltern verbunden und unser Leben mit vielen lieben Menschen verknüpft. Wenn auch manchmal Verbindungen und Verbundenheit reißen, wenn Eltern und Freunde sich trennen, wenn jemand stirbt, Krankheit, Hass und Streit die Menschen entzweien, ... Das ist sehr traurig und schmerzlich. Doch du gibst uns immer wieder neue, andere Lebensfäden in die Hand, dass wir unser Leben neu und anders knüpfen und nicht aufgeben. Hilf uns, guter Gott, dass der Faden zu dir nie reisst, dass wir unser Leben weben zu dir in alle Ewigkeit. Das wird ein Fest sein. Amen.

Nikolaus beschenkt die Kinder und legt Äpfel, Nüsse und Lebkuchen auf den Teppich in ihrem Haus. Er isst und feiert mit ihnen. Zum Ausklang können wir noch einmal das Teppichlied oder ein Kinderlied singen.

DAS KORNWUNDER

ZUM NACHDENKEN

Es gibt Zeiten von Hunger und Durst in unserem Leben. Es können Hunger und Durst unseres Leibes, aber auch unseres Herzens sein. Ein großer Teil der Menschheit hungert nach Nahrung. Ein anderer großer Teil der Menschen hat Hunger und Durst nach Liebe und Verstehen, nach Angenommen-Sein, nach freier, individueller Entfaltung und nach echter Geborgenheit in einer Gemeinschaft. Setzen wir uns dafür ein, dass Hunger und Durst gestillt werden? Der Hl. Nikolaus tat es. Er hat vertraut und aus diesem Vertrauen scheinbar Unmögliches möglich gemacht. So wurde Gottes Weisheit wahr: Wer gibt, dem wird hundertfach vergolten. Denn: Einen fröhlichen Geber liebt Gott. Was tun wir gegen äußeren und inneren Hunger und Durst in unserem Leben und in der Welt?

VORBEREITUNG ZUR GESCHICHTE

Bilder wach werden lassen:

Schiff

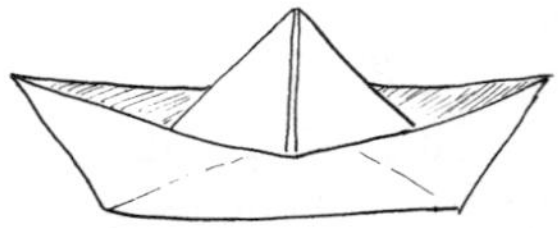

Bilder von Schiffen im Raum anbringen. Bilderbücher mit Schiffen anbieten.

Auf Äußerungen der Kinder hören, bei der Betrachtung der Bilder auf ihre Erfahrungen und Erlebnisse eingehen (Schifffahrt, Frachtschiffe, Personenschiffe u.a.)

Wie kann man ein Schiff spielen? z.B. mit Tüchern (auf die Kindervorschläge eingehen)

Schiffslieder singen. Die Erzieherin kann vorsingen: „Es kommt ein Schiff geladen" (altes Adventslied)

Mit den Kindern ein Schiff basteln, evtl. auch als Behälter für Lebkuchen vom Nikolaus als Vorbereitung auf das Fest.

Brunnen

Einen Brunnen mit Steinen legen – einen Krug anschauen – tragen – mit ihm zum Brunnen gehen – Wasser schöpfen – den Krug leeren...

Mit Instrumenten eine Wassermusik zum Brunnenwasser erfinden... Musik, die das Füllen des Kruges untermalt, das Ausleeren...

Haus, Häuser, Stadt

Mit Kindern Hausspiele machen, Geborgenheitsspiele: zu zweit im Haus, sitzen, reden, spüren von Nähe und Wärme, ausruhen, schlafen... Türen öffnen, schließen... aus dem Fenstern schauen... hineingehen, herausgehen...

Ruhelieder finden, Schlaflieder...

Häuser im Kreis spielen, eine Stadt mit einer Mauer...

Teilen

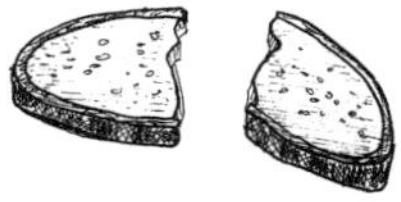

Eine Scheibe Brot miteinander essen, immer 2 Kinder teilen miteinander einen Lebkuchen...

Täubchen

Eine Stofftaube oder ein anderes Stofftier wird im Kreis weitergegeben. Jedes Kind darf es vorsichtig tragen. Das Tier wird in einem bereitgestellten Korb gelegt, damit die Kinder in der Freizeit damit spielen können. Auf die Erzählungen der Kinder mit Täubchen oder anderen Tieren hören...

Material: Rotes oder gelbes Tuch für die brennende Sonne, blaues Tuch für den Brunnen, 2 braune Tücher für das Schiff, 1 braunes, gefaltetes Tuch für ein Brett, 1 weißes, gefaltetes Tuch für das Täubchen, Kerzen oder Teelichter für jedes Kind, Krippenfiguren Maria und Josef, Instrumente: Becken, Triangel, Holzstäbe, Trommel, Pauke, Xylophon.

Erzählung und Spiel nach dem Bilderbuch: „Nikolaus und Jonas mit der Taube"

Die Kinder versammeln sich im Gruppenraum im Kreis. Der Raum ist adventlich geschmückt. Die Eltern sitzen im Außenkreis um den Kreis der Kinder. Wir beginnen mit einem Lied: „Wir sagen euch an den lieben Advent" oder „Kinder, singt dem Herrn ein Lied."

Eine Kerze des Adventkranzes wird angezündet.
Erzieherin:
Wir stehen in der Adventszeit.

In dieser Zeit feiern wir das Fest vom heiligen Bischof Nikolaus. Er hat besonders den Armen geholfen. Er hatte die Kinder sehr gern. Jedes Jahr feiern wir das Fest an seinem Namenstag. Zu uns kommt heute ein Mann, der den Bischof Nikolaus spielt. Wir wollen ihn mit einem Lied hereinholen.

Lied:

Nikolaus kommt herein und begrüßt die Kinder und Eltern, evtl mit folgenden Versen:

Grüß Gott, ihr Kinder hier im Haus.
Jetzt bin ich da, der Nikolaus.
Im Namen Jesu, unsres Herrn,
komm ich hierher und hab euch gern.
Und Jesu Friede wünsch ich euch,
die Liebe sein und seine Freud.

ERZÄHLUNG UND SPIEL

Text	Spiel	Instrumente
Hier ist die Stadt Myra. Bischof Nikolaus wohnt in dieser Stadt. Hier ist sein Haus.	Die Kinder halten sich an den Händen. Nikolaus setzt sich auf den freien Platz in den Kreis der Kinder.	
Einmal, im Sommer brannte die Sonne viele Monate lang auf die Erde. Das Gras färbte sich braun. Auf den Feldern verdorrte das Korn. Keine Wolke zeigte sich am Himmel. Es regnete nicht. Die Wasserstellen vertrockneten.	Ein Kind geht mit einem roten Tuch im Kreis herum (Sonne).	Mit Instrumenten Hitze spielen, evtl. Becken, eine Triangel
Nur die tiefsten Brunnen spendeten noch Wasser. Ein Brunnen lag in der Mitte der Stadt.	Brunnen in die Mitte legen (Reifen – blaues Tuch hinein).	
Die Frauen gingen mit Krügen zum Brunnen, um Wasser zu schöpfen. Sie trugen das kostbare Wasser vorsichtig wieder heim.	Einige Kinder gehen – tragen pantomimisch einen Krug – schöpfen Wasser – gehen wieder heim	Langsame Flötenmusik oder Xylophonbegleitung 

Viele Tiere mussten sterben. Übers Land kam eine große Hungersnot. Die Vorratskammern waren leer.

Dunkle Töne auf Xylophon

Am Abend konnten die Kinder nicht einschlafen. Der Bauch tat ihnen weh. Sie riefen: Gib mir Brot! Aber die Mutter hatte kein Brot. Manchmal sang sie ein Lied, damit die Kinder den Hunger vergaßen.

Alle Kinder strecken die Hände aus – bittende Haltung

Lied: Schlafe mein Kindlein, schlafe nun bald.

Alle Kinder singen das Lied mit Bewegung.

Text: F. Fischereder
Melodie: aus Finnland

Bischof Nikolaus ging am Abend oft durch die Straßen. Er hörte das Weinen der Kinder. Er sah durch die Fenster und spürte die Not der Menschen. Gern hätte er geholfen, jedoch er hatte kein Brot.

Nikolaus geht horchend und lauschend im Kreis herum.

Eines Tages näherte sich am Hafen dem Meer ein Schiff. Es kam aus einer fernen Stadt und war schwer beladen mit Korn.	2 Kinder ziehen mit gelben Tüchern durch den Kreis. Die anderen Kinder spielen mit den Händen Wasserwellen.	Xylophon: Wasserwellen 
An diesem Tag war Bischof Nikolaus unterwegs. Er wollte einen Kranken besuchen.	Nikolaus geht langsam im Kreis.	Tommel Holzstäbe
Er traf einen kleinen Jungen. Dieser trug eine Taube. „Wer bist du?“ fragte Bischof Nikolaus. Ich bin Jonas mit der Taube. Sie ist müde und matt. Sie hat nichts mehr zu fressen. “Wohin gehst du?“ fragte Bischof Nikolaus. „Ich will zum Hafen, dort ist ein Schiff, voll beladen mit Korn.“	Ein Junge geht mit einer Stofftaube oder einem weißen gefalteten Tuch auf dem Arm im Kreis.	
Da nahm Bischof Nikolaus den Jonas an der Hand und ging mit ihm zum Hafen. Er dachte: Aus Korn kann man Mehl mahlen, aus Mehl Brot backen, dann hat die Hungersnot ein Ende.	Nikolaus und Jonas gehen zusammen.	Trommel und Holzstäbe
Als die beiden zum Hafen kamen, waren schon viele Menschen dort.	Alle Kinder trippeln mit den Füßen schnelle Schritte.	
Die Menschen waren still. Die Matrosen des Schiffes hielten Lanzen in den Händen und streckten sie ihnen entgegen.	Alle Kinder strecken die Hände vor.	
Bischof Nikolaus rief: „Wo ist der Kapitän?“ „Hier bin ich!“ rief der Kapitän.	Ein Vater spielt den Kapitän und führt den Dialog.	

„Kann ich zu dir auf das Schiff kommen?“ fragte Bischof Nikolaus. „Ja, aber komm allein,“ rief der Kapitän.

Die Matrosen schoben ein schmales Brett vom Schiff an das Ufer.

Ein braunes Tuch wird gefaltet und hingelegt.

Bischof Nikolaus ging hinüber, aber es wurde ihm schwindlig. Da eilte Jonas herbei; er führte in an der Hand hinüber.

„Was willst du von mir?“ sagte der Kapitän.

„Du siehst, die Leute hier leiden große Not. Verkaufe uns einen Teil deiner Ladung.“

„Das darf ich nicht. Es ist alles genau abgewogen. Die Ladung ist für den Kaiser. Der Kaiser bestraft mich, wenn ich die Ladung nicht vollständig abgebe.“

„Die Leute müssen sterben, wenn du ihnen nicht hilfst.“

„Mein Kopf ist mir lieber als euer Hunger,“ sagte der Kapitän.

„Hat nicht auch Jesus mit fünf Broten die vielen Menschen satt gemacht und es sind noch 12 Körbe voll übriggeblieben? Hilf uns und kein Körnchen wird an deiner Ladung fehlen.“

Der Kapitän sagte: „Ja, ich kenne die Geschichte. Gut, wenn kein Körnchen fehlt und das Schiff nicht leichter wird, dann dürfen die Matrosen Säcke hinaustragen.“

Die Matrosen trugen viele Säcke mit Korn an das Land.

Alle Kinder spielen pantomimisch: einen Sack tragen, schwere Schritte, Sack ausschütten. Sie zeigen mit den Händen an, wie der Kornberg wächst (etwa dreimal wiederholen).

Pauke für schwere Schritte, Xylophon- Glissandospiel beim Ausschütten des Sackes

Das Schiff wurde nicht leichter. Bischof Nikolaus rief: „Es ist genug! Wir haben genug zu essen. Es reicht bis zur nächsten Ernte und das Korn reicht auch noch zum Säen im Frühling. Die Hungersnot hat ein Ende!"

Da staunte der Kapitän und die Matrosen. Die Menschen lobten Gott und einige dachten: „Es ist ein Wunder."

Die Matrosen legten die Lanzen nieder. Die Menschen gaben sich die Hände. Alle waren glücklich und jubelten Bischof Nikolaus zu.

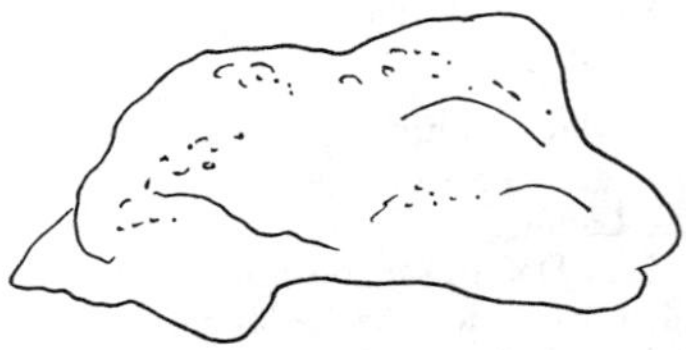

Lied: St. Nikolaus ist ein guter Mann

Text u. Melodie: F. Kett

Nikolaus lies das Korn verteilen. Aus Korn wurde Mehl gemahlen, aus Mehl Brot gebacken

Lied: Vom Brot

Text u. Melodie: Franz Kett

Wer Brot hat, … kann auch als Kanon gesungen werden.

Nikolaus verteilt an die Kinder und Eltern Lebkuchen, immer zwei Kinder oder Eltern erhalten einen Lebkuchen; sie dürfen ihn teilen und essen.
Nach dem Essen spricht Bischof Nikolaus mit den Kindern. Er zündet eine Kerze an und stellt sie in die Mitte. „Das Licht sagt uns: Bald wird Jesus geboren."
Maria und Josef (Krippenfiguren) werden vom Nikolaus gebracht und in die Mitte gestellt.
Bischof Nikolaus regt die Kinder an, einen Weg zu gestalten (Krippenweg) und Maria und Josef jeden Tag ein Stück näher zur Krippe zu stellen.

LIED:

„Bald ist Jesu Geburtstagsfest, kommt und singt und freut euch mit."

3. Strophe (siehe 4/79 S. 61): Das Kerzenlicht, das zündet an, lasst leuchten seinen Schein. Ein Licht auf unsrem dunklen Weg will Jesus für uns sein.

Jedes Kind bekommt eine Kerze oder ein kleines Lämpchen.

Nach einer adventlichen Weise (Zither oder Hackbrett oder Flötenmusik) tanzen die Kinder einen Lichttanz –

im Kreis gehen
das Licht hochhalten
das Licht dem anderen zeigen
sich einmal drehen
das Licht in der Mitte abstellen
(um die Krippenfiguren herum).

Nikolaus betet:

„Guter Gott,
bald wird Jesus geboren.
Wir warten auf ihn.
Wir freuen uns.
Wir bitten Dich,
mach unser Herz bereit."

LIED:

„Komm' zu uns Herr, mit all Deiner Güte, bleibe bei uns bis bis ans Ende der Zeit	*Im Kreis angefasst, sich die Hände geben und hochhalten*
Schenk' den Armen das Brot, hilf den Kranken in der Not, lass uns niemals auf Erden allein!	*Hände aufhalten wie eine Schale, Hände beschützend über etwas halten.*
Komm' zu uns Herr, mit all Deiner Liebe, bleibe bei uns bis ans Ende der Zeit."	*Wie am Anfang im Kreis angefasst die Hände hoch.*

Lied: Komm zu uns Herr

Nikolaus verteilt die Gaben. Die Gaben – Säcklein – werden in die Mitte getragen.

Bischof Nikolaus ruft die Kinder beim Namen und verteilt die Gaben.

Dazwischen kann gesungen werden: „Holler, boller, Rumpelsack“

oder „Hört doch in den Stuben“

Nikolaus verabschiedet sich.

SCHLUSSLIED:
„Lasst uns froh und munter sein.“

EINE ADVENTLICHE NIKOLAUSFEIER

Der Nikolaus überreicht ihm Rahmen dieser Feier einen Tannenzweig, eine Kerze, einen Barbarazweig, Äpfel und Nüsse und deutet die Gaben als adventliche Zeichen.
Wir können mit den Kindern zur Vorbereitung diese Zeichen einzeln betrachten. Einzelne Anschauungen finden sie im Heft „Adventliche Zeichen" 1983/4.
Der Nikolaus bringt auch die Krippenfiguren von Maria und Josef, evtl. dazu einen Esel und regt an, für diese einen Stall zu bauen und zum Stall einen Weg zu gestalten. Maria und Josef sollen jeden Tag ein Stück Wegs zurücklegen, d.h. ein Stück näher zur Krippe gestellt werden. Es lassen sich entlang des Weges Kerzen aufstellen und jeweils beim Morgen- und Abendgebet, bei adventlichen Besinnungen entzünden, jeden Tag eine mehr. Es wird in diesem Tun das Näherrücken des Weihnachtsfestes sichtbaren Ausdruck finden.
Der Hl. Nikolaus wird hier zu einem adventlichen Boten des Kommens Gottes.
Die folgenden Texte sind im Rahmen einer Nikolausfeier in der Fachakademie für Sozialpädagogik des Caritasverbandes München entstanden.

GESTALTUNG

Material: Äpfel, Nüsse, ein Tannenzweig, Barbarazweig, Maria und Josef als Krippenfiguren

TEXT

Nikolaus spricht:

Grüß Gott, ihr Leute – hier im Haus.
Jetzt bin ich da – der Nikolaus.
Im Namen Christi, unseres Herrn
komm ich hierher und hab euch gern.
Und Christi Friede wünsch ich euch,
die Liebe sein und seine Freud.

Der heil'ge Mann selbst – bin ich nicht.
Vor langer Zeit strahlte sein Licht;
ein Licht, das heißt Barmherzigkeit,
und so gedenken wir noch heut
des heil'gen Mannes, seiner Güte,
und werden seines Lobs nicht müde.

Kommt dann der Namens-, Festtag sein,
schlüpf ich in sein Gewand hinein
und spiel den Bischof, der er war,
mit Mitra – Stab – Kreuz – Ring – Talar.

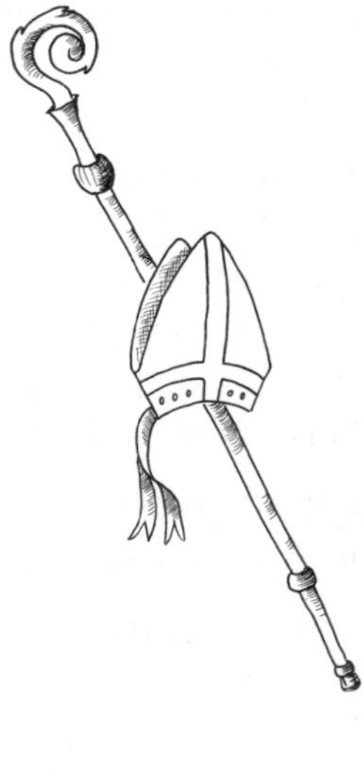

Ich möchte euch in seinem Namen
daran erinnern und gemahnen,
dass ihr gleich ihm voll Güte seid,
und dass ihr euch von Herzen freut,
weil Gott kam zu uns auf die Erde,
damit es bei uns Friede werde.

Die Freude soll nun hell erklingen.
Ein Lied lasst uns adventlich singen.
Ich singe es euch einmal vor.
Ihr wiederholt es dann im Chor.

Lied: **<u>Zweistimmiger Adventkanon mit Ostinato</u>**

Text u. Melodie: CSSR

Weil wir nur Liebe schenken können,
wenn wir empfangen haben,
so tu ich auf jetzt meinen Sack,
verteile meine Gaben.

Da leg in eure Hände
ich einen Apfel rein.
Es soll euch diese Frucht nun
ein tiefes Zeichen sein.

Denn wie der Apfel rund ist,
so rundet sich das Jahr.
Und nach dem harten Winter
wird's Frühling – wunderbar!

Und Sommersonne reift dann
den Samen klein und braun.
Voll Freude seh'n im Herbst wir
viel Frucht an jedem Baum.

Lasst euch den Apfel schmecken
und beißt gar froh hinein.
Seid nicht so verzagt! Ja, freut euch:
Es soll euch Hoffnung sein.

Dann sind in meinem Sacke
viel Nüss' mit Schal und Kern.
Wenn ihr geknackt die Schale,
dann esst den Kern ihr gern.

Es will die Nuss uns sagen:
Gar hart ist meine Schal,
so wie ihr oft erlebt
des harten Winters Qual.

Doch liegt gar tief im Innern
von euch noch unentdeckt
der Kern, das Gute, Reife,
das neuen Frühling weckt.

Knackt eure harte Schale,
zeigt euren guten Kern
zur Freude aller Menschen
und unseres Gott's und Herrn.

Der Tannenzweig ist Zeichen,
dass auch in kalter Zeit
die Hoffnung grünt,
weil Jesus kommt,
er wendet Not und Leid.

Das Kerzenlicht, das zündet an,
lasst leuchten seinen Schein.
Ein Licht auf unserm dunklen Weg
will Jesus für uns sein.

Und wie der Zweig, so wird erblühn
in einer dunklen Nacht
aus Jesse Stamm ein Blümelein,
aus ihm kommt Gottes Macht.

Und dann zwei Menschen,
Mann und Frau,
ein Kind – noch ungeborn,

sind unterwegs – zu einem Stall;
lasst sie nicht gehn verlorn.
Macht ihnen Tür und Herzen auf!
Baut ihnen einen Stall!
Baut ihn nicht nur als Krippe auf,
im Herzen baut ihn all!

Denn was ihr dem Geringsten tut,
so ist des Herren Wort,
das tut ihr ihm, dem Herren Christ.
Er ist an aller Ort.

Was wir geschenkt, möcht euch erfreun
und euer Herz bewegen,
mit Liebe, Menschenfreundlichkeit
den Menschen zu begegnen.

Und werdet ihr einander Licht,
dann hat es einen Sinn,
dass ich am Fest St. Nikolaus
zu euch gekommen bin.

Bevor ich von euch wieder zieh,
lasst uns noch einmal singen:
Wenn ich euch hab gesungen vor,
lasst es im Chor erklingen.

Nun Pfüat euch Gott – ihr Leut im Haus.
Ich zieh jetzt fort – der Nikolaus.
Ich komme wieder über's Jahr
und wünsche, dass es werde wahr,
dass Christi Liebe wird geborn –
in euch. So geht ihr nicht verlorn.